상상을 선발합니다

어느 입학사정관의 고민과 성장통

상상을 선발합니다 - 어느 입학사정관의 고민과 성장통

발   행 | 2025년 02월 24일
저   자 | 한봄일춘
펴낸이 | 한건희
펴낸곳 | 주식회사 부크크
출판사등록 | 2014.07.15.(제2014-16호)
주   소 | 서울특별시 금천구 가산디지털1로 119 SK트윈타워 A동 305호
전   화 | 1670-8316
이메일 | info@bookk.co.kr

ISBN | 979-11-419-8619-3

www.bookk.co.kr

상상을 선발합니다

어느 입학사정관의 고민과 성장통

일러두기

1. 브런치와 블로그의 글을 묶은 책입니다.

2. 인용한 책은 각 글 마지막에 표기해두었습니다.

상상을 선발합니다

어느 입학사정관의 고민과 성장통

．
．
．
．

한
봄
일
춘

지
음

．
．
．
．

프롤로그

여름이 지나 가을이 오면 또 대학입시다. 계절의 변화가 나를 닦달질한다. 다른 것에 흘깃흘깃하지 말고 입학업무 준비를 구메구메 하라고. 그 부추김에 반하여 내 몸과 마음은 미적지근하다. "만일 할 만하시거든 이 잔을 내게서 지나가게 하옵소서!" 겟세마네에서의 기도가 이루어지는 기적은 일어날 수 없는 걸까?

마음은 벌써 겨울을 지나 봄으로 줄달음질을 친다. 이런 내가 못마땅한지 입시의 계절이 연득없이 달려든다. 책상 위에 버릇어 놓았던 마음을 깔끔하게 치워 봐도 가슴이 두방망이질을 친다.

꿈꾸는 것이 유감스럽지 않고 성공을 닦달질하지 않는 교육이, 시간을 좀 허비하도록 허락해주고 실패에 관대한 대입정책은 실현될 수는 없는 걸까? 오늘도 잠 못 이루는 밤 예약이다.

글쓰기. 그것은 나의 과거, 현재, 미래 사이를 오가며 내 존재를 나 자신의 언어와 힘으로 구성하는 시간이다. 일상에서의 삶의 경험을 내 언어로 의미화하는 과정에서 삶의 텍스트가 탄생한다. 여기저기 흩어져 있던 삶의 조각들에 대한 사유와 그 조각들의 공통분모를 찾아가는 여정에서 나를 만난다.

　글쓰기를 통해 내 사고의 고리를 하나하나 실타래로 묶을 수 있어 좋다. 반갑다. 하나의 실타래는 나 자신의 자화상에 다름 아니다.

2부_ 당연하죠, 십분 반영됩니다

3부_ 쓰기 생활 루틴이

4 부_ 안녕, 일상의 중력

1부

상상을　선발랍니다

이 일은 어쩌면 참 멋진 일이 아닐까

나는 브런치(글쓰기 플랫폼의 하나)의 소비자고 생산자다. 브런치 메인화면의 문구-브런치스토리에 담긴 아름다운 작품을 감상해 보세요. 그리고 다시 꺼내 보세요. 서랍 속 간직하고 있는 글과 감성을-는 글쓰기에 대한 나의 욕구불만과 질투심을 매번 자극한다. 실시간으로 업데이트되는 글을 보면서 글을 쓰는 사람이 이렇게나 많다는 사실에 놀라고 그 필력에 또 한 번 놀란다. 사고의 전환을 불러일으키는 글을 만날 때면 놀라움을 넘어 경외심마저 든다. 다른 작가들의 글을 읽다가 서랍 속에 고이 간직해두었던 글과 감성이 밀물처럼 차오르기도 한다.

　업데이트된 글 중, 1인 출판으로 책 만들기《입학사정관의 계절》이라는 제목이 눈에 띄었다. 나와 같은 직종에 종사했던 이의 이야기였다. 나도 직접 겪고 있는 일상이지만 그녀의 이야기가 궁금했다. 한숨에 글을 읽고 내친김에 책을 구매했다.

　조금 헐렁하고 냉담하게 써 내려간 이야기에 공감과 위안이 갈마든다. 수식 없이 냉담하게 써 내려간 문장 위에서 그녀의 고뇌와 한숨, 그리고 바람을 본다. 꾹꾹 눌러쓴 마음에 내 마음이 사뭇 들까부른다. 문장 하나하나가 이악스러웠던 숱한 날들의 나를 소환한다.

10년 가까이 일하다 퇴사를 결정한 그녀는 "어느 순간 내가 쏟았던 애정만큼 바닥난 에너지를 다시 채우기 전에는 여기서 내가 해볼 수 있는 것이 더는 없다는 생각이 들었다."(8쪽) 고백한다. 그녀가 그랬듯 나도 그랬다. 두 번째 스물하나를 한참 지나고 있던 2018년의 여름이 그랬다. 그해 여름, 왜라는 질문이 수시로 고개를 들었다.

'왜 이걸 해야 하지?'
'알아주는 사람 하나 없는데, 왜 주말까지 반납해가면서 해야 하는 거지?'
'막말로 일한 만큼의 보상이 주어지는 것도 아닌데, 왜 내가 이 업무를 맡아야 하지?'
'의미 있는 일인데 왜 더는 의미 있게 느껴지지 않지?'
'내가 진짜 원하는 일이 뭔지 이제는 도대체 모르겠어!'
'나도 이전에는 열정 가득한 사람이었는데……'

입직 이후 바쁘고 빼곡하게 보내온 나 자신이 하찮게 여겨졌다. 이 직업에 만족하는지, 계속 이 일을 하고 싶은지 고민하고 고민했다. 고민 끝에 퇴사를 감행했다. 결과적으로 그녀는 성공했고 난 아직 이다.

입학사정관. 이 직업은 어릴 적 커서 뭐가 되고 싶니? 악의 없는 질문의 대답에 단 한 번도 등장한 적이 없다. 처음으로 이 직업명을 들은 건 첫 직장생활에서 인생 최대의 질문, 왜를 만나고 나서 얼마 지나지 않은 때였다. 이직에 대해 심각하게 고민하고 있을 때, 마침 입학사정관이라는 직업을 알게 됐다.

신생 직종을 직업으로 삼을지 말지 결정하는 것은 이직만큼이나 쉬운 일은 아니었다. 낯설고 두려웠다. 불확실이 디폴트였지만 마음에 드는 답을 찾기 위해 몇 날 며칠을 끙끙거렸다. 의미 있는 일이라는 생각이 다른 것들-경제적 보상, 사회적 지위, 안정성 등-보다 조금 앞섰다. 한편으로는 이미 너무 많은 경쟁자가 몰려 있는 직종을 피하고 실제로 이길 수 있는 경주에 집중하는 것이 현명하다 생각했다. 그렇게 2008년 10월 나는 입학사정관으로 입직했다.

"봄부터 겨울까지 만나는 수많은 사람과 그 사람을 담은 이야기들을 마주하며 미래를 기대해볼 수 있는 이 일은 어쩌면 참 멋진 일이 아닐까."(167쪽) 일의 기쁨과 보람을 느낄 수 있는 이 일을 나는 참 많이 좋아한다. 입학사정관은 꿈의 마음을 읽는 사람이다. 호기심이 디폴트다. 촘촘한 호기심의 그물에서 다채로운 꿈이 팔딱팔딱한다. 싱싱하고 설레고 벅차고 갑갑하다. 꿈을 이루기 위해 노력한 과정 과정에 박수갈

채를 보내는 동시에 평가라는 잣대를 들이밀어야 하는 아이러니한 일. 이 일은 호기심과 더불어 아이러니도 디폴트다.

봄이 겨울의 그림자에서 완전히 탈출했다. 추가모집까지 마무리된 지 채 보름도 지나지 않았지만, 계절의 변화가 나를 닦달질한다. 봄과 여름이 지나 가을이 오면 다시 대학입시다. 신입생이 입학해도 입시는 끝나지 않고 끝나지 않아서 더 가혹하다. 이 일이 적성에 맞아서 하는 사람이 얼마나 될까? 오늘도 실체도 없는 소명의식과 책임감을 짜내어 너덜너덜하고 새카만 마음에 바른다. 어디서 본 대로 어설프게 따라 하고 실수하고 자책하며 겨우 해내고 있다.

김보미, 《입학사정관의 계절》, 더봄, 2020

대학 실패, 나 하나면 충분해

달칵 소리와 함께 교무실 문이 열렸다. 열린 틈으로 조심스럽게 몸을 욱여넣었다. 이상했다. 잘못한 것도 없는데 몸도 마음도 움츠러들었다. 그랬다, 그날은 유독.

마침 담임 선생님은 상담 중이셨다. 선생님은 엄마에게 눈인사하고는 우리에게 잠깐 앉아서 기다리라고 했다. 나와 엄마는 교무실 중앙의 난롯가에 앉아서 차례가 오기를 기다렸다. 상담을 기다리는 동안, 나와 엄마는 아무 말 없이 난로만 쳐다봤다. 다행히 난로 위에 놓인 주전자의 물 끓는 소리가 싸늘한 마음을 데워주었다. 한 모금의 훈기에 마음도 조금은 단단해지는 거 같았다.

1994년 11월 22일. 벌써 30년이나 지났지만, 날짜는 물론 시험이 끝난 후 함박눈이 왔던 기억이 생생하다. 채찍처럼 세찬 함박눈이 온종일 시험문제를 푸느라 불난로처럼 단 몸뚱이를 사정없이 내리쳤다. 가분재기 폭발적인 환희가 밀려왔다. 마치 《쇼생크 탈출》의 남자 주인공 앤디가 된 것처럼. 난 하늘을 향해 미친 듯이 환성을 지르며 쏟아지는 함박눈을 맞았다. 벌린 입으로 눈이 녹아들었다. 청량감과 해방감이 입안 가득 맴돌았다. 웅성대던 수능시험장 앞의 학부모들도, 학교 정문도 덩달아 너울너울 춤을 추는 듯했다.

수능시험 종료와 함께 애면글면 애썼던 고등학교 3년의 수고가 일단락됐다. 마음 졸이며 새벽마다 기도로 응원해준 엄마의 100일 새벽기도가 효력을 발휘

할 일만 남았다. 당시, 난 순진하게도 시험만 끝나면 모든 문제가 해결되는 줄 알았다. 시험의 종료가 내게 보장해줄 수 있는 것이 거의 없다는 사실은 얼마 지나지 않아 알게 되었다. 받아 든 수능 성적표와 함께 허무와 허탈감이 물밀 듯이 밀려왔다.

　담임 선생님과의 상담은 5분이 채 안 걸렸다. 기다린 시간에 비하면 어처구니없이 짧았다. 그렇다고 딱히 상담할 내용도 많지 않았다. 내 앞에 커다란 배치표가 펼쳐졌고 성적에 맞춰 합격 가능성에 대해 어색한 얘기가 오고 갔다. A 대학은 합격자 성적 평균이 이러이러하니 상향지원이고, B 대학은 적정 수준이고, C 대학은 안정적으로 지원할 수 있단다.
　다행스럽게도 선생님께서는 내게 관심 있는 학과가 있냐고 물어봐 주셨다. 나는 어문계열에 관심이 있다고 기어가는 목소리로 얘기했다. 그 목소리를 들으셨는지 어떤지는 모르겠지만 국문과, 중문과, 일문과 이렇게 세 개 학과가 그 자리에서 정해졌다. 원서를 쓸 대학 세 곳도 상향, 적정, 안정 전략에 따라 정해졌다. 3년간의 수고가 5분도 채 안 되는 시간에 땅·땅·땅! 결정됐다.

　상담이 끝나고 교무실 문을 나섰다. 나도 모르게

눈물이 핑 돌았지만, 꾸역꾸역 참아냈다. 엄마는 나보다 두세 걸음 앞서 휘적휘적 걸어가셨다. 복도를 따라 계단을 내려오고 학교 정문을 지나 내리막길로 내려가는 동안에도 엄마는 단 한 번도 뒤돌아보지 않으셨다.

앞서가는 그 뒷모습이 왜소하고 초라해 보였다. 왈칵 눈물이 쏟아졌다. 시험 결과가 속상해서인지, 선생님과의 상담 시간이 생각보다 짧아서였는지, 하루에 도시락 3개를 싸주신 엄마의 수고로움에 보답하지 못했다는 미안함 때문인지, 엄마의 뒷모습이 초라해 보여서인지, 이유도 모르게 눈물이 났다.

그 와중에도 내 우는 소리를 들으면 엄마가 속상해하실 수 있으니 소리 내지 말고 울어야 한다는 생각에 소리 없이 울었다. 어스레한 하늘 때문인지 엄마의 뒷모습도, 거리도, 지나가는 사람들도 뿌옇고, 어릿어릿했다.

단 한 번의 시험으로 3년의 노력이 평가되는 수능. 그 수능 결과는 이미 30년이란 시간이 지났음에도 여전히 불편하다. 그 바란 기억이 아직도 아픈 거 보면 내게 수능이, 대학입시가 어떤 무게였는지 십분 짐작하고도 남는다.

수능을 본 지 30년이 흘렀다. 그동안 난 대학을 졸

업하고 2개의 석사학위를 받았다. 지금은 대학에서 일하고 있다. 지난 15년 동안 대학 입학처에서 입학사정관으로 일을 하고 있다. 내가 이 일을 하게 된 계기는 다른 동료들처럼 거창하지 않다. 수능이라는 단 한 번의 시험이 모든 걸 재단해버리는 대입 구조가 싫었다. 나는 고등학교 3년 동안의 성실함이 긍정적 평가를 받을 수 있는 대입제도에 대한 청사진을 꿈꿨다. 물론 지금은 그런 순수한 믿음을 내려놓은 지 오래지만.

공정사회와 정의 등의 이슈와 함께 대입 전형 특히, 학생부종합전형에 대한 언론, 학계, 이익집단 간 논란이 끊이지 않는 현실이다. 관점에 따라 찬반 혹은 긍정과 부정적 의견이 혼재되어 있다. 논의는 여전히 현재진행형이다. 논의와는 별개로 최소한 한 번의 시험으로 모든 수고가 아무렇게나 해석되는 일은 더는 되풀이되지 않아야 한다. 대학 실패, 나 하나면 충분하지 않을까?

오늘도 꿈을 꾼다

어둑시근한 밤. 볕이 잘 들지 않아 눅눅한 골목길. 누군가 뒤에서 나를 쫓아온다. 고개를 돌려 뒤를 돌아본다. 쓰레기통 주변에 고양이들이 모여 있는 거 말고는 아무도 없다. 후 안도의 한숨을 내쉬며 다시 걷는다. 그것도 잠시, 내 속도에 맞춰 뒤따라오는 누군가의 발걸음 소리. 갑자기 걸음을 멈추자 그 발걸음 소리도 멈춘다. 조심스럽게 고개를 돌려 힐끔 뒤를 돌아본다. 아무도 없다. 조용하다. 내 촉각은 온통 주변에다 주파수를 맞추고 있다. 부석부석하는 소리에 머리카락이 쭈뼛 섰다. 적막이 흐르는 어색한 주변 때문일까? 괜히 으스스하다. 누군가가 나를 쳐다보고 있는 느낌이다. 섬뜩하다는 생각이 드는 찰나 거의 반달음질로 뛰기 시작하는 나를 본다.

정체불명의 검은 물체가 빠른 속도로 나를 뒤쫓아 오고 있다. 뒤를 돌아볼 겨를도 없이 나는 앞만 보고 내달린다. 계속 달린다. 달리고 또 달린다. 그렇게 줄 달음질치다 보니 더는 뒤쫓아 오는 소리가 없다. 다행이다. 허위허위 숨을 몰아쉬며 바싹 마른입을 달래는데 가로등 밑 검붉은 그림자가 차가운 기함을 내뱉으며 내 손목을 잡아끈다. 끈적끈적하다. 소스라칠 정도로 기분이 더럽다. 그 손길을 힘껏 뿌리치는 순간, 꿈이다. 어쩌면 아직 꿈을 꾸고 있는지도 모른다.

장면은 초등학교 시절 내가 살던 집의 옥상이다.

때는 저녁 해가 옥상에 숨기 시작했다. 마침 숨바꼭질 중이다. 나와 남동생은 저녁 해와 함께 옥상에 숨었다. 술래인 여동생이 우리를 찾아 헤매고 있다. 집 이곳저곳을 뒤집고 다니는 여동생을 보며 나와 남동생은 끅끅 웃음을 토해냈다. 아차차! 잘못하여 웃음소리가 새어나갔다. 여동생이 옥상을 올려다본다. 나와 남동생은 당황하여 빼꼼 내밀고 있던 고개를 잽싸게 거둬들였지만 늦었다. 여동생이 우리를 발견하고 계단을 오르고 있다.

우리는 몸을 일으켜 조심조심 옆집으로 넘어갔다. 남동생이 넘어가다 발을 헛디뎠다. 몸이 휘청거리며 떨어지는 걸 간신히 티셔츠 목덜미를 잡았다. 끌어올리려 안간힘을 써보지만, 힘에 겨워 그만 남동생을 놓쳤다. 남동생은 쿵 땅바닥에 엉덩방아를 찧었다. 그 소리에 놀라서인지, 아파서인지 남동생은 울음을 터트린다. 그 울음소리에 잠에서 깼다. 당혹스러움과 죄책감에 어찌할지 모르고 있는 나를 내가 올려다보고 있다. 또 꿈이다. 어쩌면 아직 꿈을 꾸고 있는지도 모른다.

매일 밤 꿈을 꾼다. 내가 꿈을 꾼다는 건, 가을이 왔다는 얘기다. 가을이 왔다는 건, 컴퓨터 화면과 씨름하는 입시철이 철새처럼 내 일상에 둥지를 틀기 시작했다는 거다. 지난 15년, 같은 길이다. 길은 같은 길인데, 단 한 번도 만나보지 못한 인생들이 내 처분을 기다리며 무심히 기다리고 있다. 익숙한 골목길인데, 익숙한 일인데 무연히 낯설고 무연히 불편하다. 쓰겁고 약비난다. 애써 마음을 숨겨보지만, 머리보다 몸이 먼저 안다.

　가보지 않은 길은 아무리 상상해 봐도 모른다. 가보기 전까지는. 글이 그렇다. 생각을 공글리고 또 공글려도 노트북 전원을 켜고 무언가를 긁적이기 전까지는 모른다. 한 페이지를 다 채우기 전까지는 모른다. 서류평가도 그렇다. 학교생활기록부를 다 읽기 전까지 판단은 유보다. 마지막 페이지를 읽어내도 평가 완료는 아직 이다. 학교생활기록부를 보고 다시 또 본다. 혹 놓친 건 없나? 제대로 읽어냈나? 평가에 실수는 없나? 읽고 다시 또 읽는다.

　서류평가는 주어진 자료의 수치, 학습 결과에 따른 등급 등을 단순히 계산기로 두드리는 일이 아니다. 학생 개개인의 학교생활에 대한 교사의 관찰, 평가를 담은 문장과 상황에 대한 맥락적 이해를 바탕으로 학생의 학습과 생활 태도 등을 판단하여 평가한다. 무엇을 어느 정도 알고 있느냐가 아니라 무엇에 호기심을 가졌는지 읽는다. 그 호기심을 어떻게 사고하고 해결하는지를 본다. 학생의 지적 성취를 헤아려본다.

　과거의 경험과 현재의 모습을 통해 학생 개개인의

미래를 만난다. 한 학생을 컴퓨터 모니터에서 만난다는 건, 정현종 시인의 시처럼 어마어마한 일이다. 학생의 과거와 현재와 미래가 함께 오기 때문이다. 학생의 일생을 만나는 일이기 때문이다.

정답이 없는 고등학교 3년의 시간을 읽고 보고 만난다. 그리고 평가한다. 주어진 서류만으로 한 학생을 완벽하게 파악한다는 건 어불성설일지 모른다. 다만 평가하는 과정을 통해 대학이 요구하는 역량을 학생이 어느 정도 갖추고 있는지를 확인할 뿐이다. 이 작업은 하나하나 수작업으로 진행된다. 입학사정관이 하나하나 읽어내고 확인한다. 세상의 많은 일이 그렇듯 사람이 한다는 건 실수가 있을 수 있다는 말이다. 하지만 대한민국에서의 입시는 단 한 번의 실수도 절대 용납하지 않는다. 상황이 이렇다 보니 서류평가는 무시로 내 신경을 갉죽거린다.

잘 해낼 수 있어! 되뇌지만 마음은 그렇지 않나 보다. 꿈에서는 마주하고 싶지 않은 상황을 맞닥뜨리고 현실에서는 3년의 노력을 만나는 시간이 다가올수록 가슴이 두방망이질 친다. 지글지글 내연하는 조바심에 온몸이 쿵쾅거린다.

오늘도 꿈을 꾼다.

머리는 복잡하고 가슴은 착잡하다

단정하게 정리된 머리, 동그란 눈, 흰색 셔츠에 무채색 니트 조끼, 검은색 슬랙스, 흰색 운동화. 가까이에서 보면 조금씩은 달라 보이지만 면접에서 만나는 학생들의 한결같은 모습이다. 면접이 주는 중압감 때문일까? 쑥스럽고 어색한 표정만은 모두 하나다. 그 표정을 보고 있자면 코끝이 찡하다. 얼굴만 봐도 이 상황이 얼마나 긴장되고 불편한지 짐작이 가고도 남는다.

수험생에게 면접만큼 긴장되는 시험도 없다. 일면식도 없는 사람 앞에서 자신이 어떤 목표를 갖고 있으며 무엇을 진정으로 좋아하는지 이야기하는 것은 어른이라도 그리 쉬운 일은 아니다. 어떤 면접관을 만나게 될지, 무슨 질문을 받게 될지 알 수 없는 면접 상황은 정말이지 힘든 시간이 아닐 수 없다.

물론 면접은 자신을 돋보이게 만들 수 있는 절호의 기회이기도 하다. 수험생 입장에서 면접이야말로 자신이 합격할 만한 가치가 있는 인재라는 사실을 강하게 어필할 수 있는 귀중한 시간이다. 그렇기에 면접은 생각만 해도 긴장이 된다.

수험생에 비하면 숙련된 면접관의 긴장도는 그렇게 크지 않다. 물론 처음 면접관 역할을 맡게 되는 경우는 조금 다를 수 있다. 나도 입학사정관으로 입직하고 그해 처음 면접관으로 수험생을 마주했을 때, 수험생보다 더 긴장했던 기억이 있다. 학생에게 질문하면서도 내 심장 소리가 들려서 더 떨렸다. 학생의 답변을 듣고 반응하기보다는 준비한 질문을 기계처럼 읊조렸다. 긴장한 모습을 수험생에게 들키지 않으려고 미소를 짓다가 얼굴에 경련이 나기도 했다. 내 노력과는 별개로 평소보다 말을 더 빠르게 하는 나를 면접이 진행되는 동안 수시로 마주했다.

입학사정관으로 입직한 지 어느덧 15년. 지나온 시간이 무색하게 면접은 여전히 나를 긴장하게 한다. 머리는 차갑게, 가슴은 뜨겁게 따위의 문구는 평가 준거에 쓰여 있을 뿐. 머리는 복잡하고 가슴은 착잡하다. 면접에 참여하는 학생들의 마음도 나와 같을 거라며 자신을 스스로 위로할 뿐이다.

배정된 면접이 무사히 끝나고 나면 나는 습관처럼 고사장의 책상을 쓱 문지른다. 미처 귀 기울이지 못했던 순간을 아쉬워하고 기껏 주의를 기울였던 순간도 고사장 구석의 먼지와 함께 뒹굴고 있는 모습을 보면서 자책한다. 학생들의 치열했을 노력을, 열정을, 상상을 다 껴안지 못한 나의 작은 가슴을 자책한다. 이렇게 부족한 내가 누군가를 평가하는 것이 가능한 일인지? 학생들의 상상을 껴안는 일이 대체 가능한 일인지? 자문하고 자문한다.

차가운 머리로 냉철하게 생각해야 할 것은 무엇이고 뜨거운 가슴으로 따뜻하게 보듬어야 할 것은 무엇인지? 다시 돌아봐야 하는 계절이다.

맛있게도 아프다

"왜 그래, 아마추어같이!"

끝날 거 같지 않은 입학사정대장 검토 업무에 불평을 쏟아내자, 한 동료가 내게 불쑥 말을 던진다. 대학입시 관련 전문가라고 나름 인정받고 있는 내게 감히 아마추어 같다니. 순간 얼굴이 붉으락푸르락 달아오르고 한쪽 다리가 찌르르 저린다. 그녀의 말 한마디가 싸고 싸 둔 내 인내심을 대담하게 헤치며 나를 끌어내린다.

전례 없는 코로나19 팬데믹은 대입 전형 운영 업무를 수행하는 데 있어 큰 방해물을 자처했다. 학생 선발과 관련된 평가 업무만으로도 진이 빠지는데 코로나19 방역까지 더해져 정말 고된 시간이었다. 발열 체크, 문진표 제작, 방역, 수시로 서류 평가장 환기, 비대면 면접 시스템 구축과 점검, 유증상자 관리 체계 구축 등등 끝이 없는 군일이 추가되고 추가되었다. 순간순간 깜짝깜짝 놀라고 속이 바짝바짝 타들어 가고 자다가도 번쩍번쩍 눈이 떠지곤 했다. 출구 없는 통로를 향해 땀을 흘렸다, 으스스 추웠다를 반복하고 또 반복했다. 불안한 마음이 수시로 솟아올라왔다.

　동시에 이왕 하는 거 보통이나 보통 이하로 하기보다는 보통 이상으로 해내고 싶다는 마음도 꿈틀거렸다. 완벽까지는 아니더라도 잘 해내고 싶었다. 생각과는 달리 업무 중간중간 높은 하늘 꺼지고 낮은 땅 솟구치게 할 만큼 연신 한숨을 내쉬었다. 충분하지 못하고 질이 떨어지는 수면으로 인해 심신의 피곤이 극에 달했다. 신경이 예민하니 행동과 말투가 하나하나 예리한 칼날 같았다. 눈앞이 캄캄하고 정신이 아뜩하기를 수차례. 다행히 세월이 빨라 수시모집 합격자 발표 목전까지 왔다.

입학사정대장 검토가 우선이었기에 문득문득 바스스 일어나는 불쾌한 감정을 억지로 누르며 대장을 일일이 확인하고 검토했다. 어찌어찌해서 마지막 1명까지 검토를 마무리하고 나니 무언중에 웃음이 베어 나왔다. 순간의 감정에 기뻐하는 것도 잠시, 체를 쓴 것 같은 눈을 비비며 합격자 웹 테스트를 시작해도 된다는 메일을 담당자에게 보내고 기진맥진한 몸을 일으켰다. 밤 11시 35분. 근 하루 동안 1년은 더 늙은 거 같다. 업무를 마무리했다는 시원함보다 까닭 없이 밀려오는 그 어떤 무언가에 서럽다. 마음 턱 놓고 한 시간만이라도 실컷 잠 좀 자면 좋겠다는 생각과 함께 동료가 했던 말이 내 신경을 본격적으로 빡빡 갉죽거린다.

대학 입학업무와 관련해서 나는 프로가 아닌가? 아니, 프로가 될 자격이 없는 건가? 당연히 자격이 있기에 지금 이 일을 담당하고 있는 게 아닌가? 아무리 이리저리 그럴듯한 이유를 찾아보지만, 연차 외에는 별다른 자격이 없다. 무시로 빽빽 투덜투덜하고 예기치 못한 허다한 군일을 참고하라는 말이 죽기보다 싫고 영혼까지 끌어모아 한 명 한 명 평가하는 것도 예전만큼 쉽지 않다.

전문가, 다시 말해 프로는 그에 따른 실력과 책임

을 겸비해야 비로소 자격이 주어진다. 보통 프로라고 불리는 사람들은 아마추어와는 다르게 하기 싫은 일도 끝까지 완벽하게 해내곤 한다. 싫은 기색 하나 없이 유연하게 맡은 일을 마무리한다. 어쩌면 프로와 아마추어의 경계는 숙련된 기술과 그 직무를 수행한 기간에 따라 결정되는 것이 아니라 그 일을 대하는 태도가 아닐까? 마음을 어떻게 가지느냐에 따라, 잠재력의 크기와 행동의 강도가 결정되고 내가 얻게 될 결과가 판가름 나는 경우가 많음을 새삼 돌아본다.

불면의 밤, 마음 담쏙 담아 예사로이 즐기는 아이스 연유 라테. 그동안의 노고를 위로하며 스스로 나자신을 대접한다. 손수 내 삶을 근사하게 만드니 그렇게 이상히 흐리던 정신이 상쾌하다. 언제 그랬냐는 듯이 맛있게도 아프다. 마음은 몽글몽글하고 이 밤은 다디달다.

합격자 발표를 하고 문득

"같은 방향으로 뛰면 1등은 하나밖에 없습니다. 그러나 동서남북으로 뛰면 네 사람이 1등을 하고, 360도 방향으로 각자 달리면 360명이 모두 1등을 하지요."

– 이어령 《짧은 이야기, 긴 생각》 中

차단벽이 설치된 책상에 앉아 마스크를 쓰고 컴퓨터 모니터를 들여다보고 있은 지 수 시간째다. 히터를 틀어놓았지만, 서류 평가장은 온기가 하나도 없다. 창문과 문을 활짝 열어놓은 터라 산지사방에서 영하의 찬바람이 매섭게 들이친다. 자판을 두들기는 손가락 마디마디에 북서풍이 휘휘친친 감긴다. 찬바람이 코끝을 할퀸다. 한겨울에 아이스크림을 깨물어 먹은 것처럼 알싸하다. 바르르 몸이 떤다. 춥다. 그 끝에 잠이 솔솔 온다. 졸리다. 한 며칠 푹 자고 싶다는 생각과 함께 기일 내 평가를 마무리해야 한다는 조바심이 갈마든다.

여느 해와 달리 지난 두 달여간 그렇게 추위와 싸웠다. 아니 코로나19와 싸웠다. 수험생들이 그러했듯이 우리도 싸웠고 끝내 버텨냈다. 학생 선발과 관련된 평가 업무만으로도 진이 빠지는데 코로나19 방역까지 더해져 정말 고된 시간이었다. 코로나19 팬데믹은 다른 분야와 마찬가지로 대학입시에서도 새로운 업무를 부가했다. 발열 체크, 문진표 작성, 방역, 수시로 평가장 환기, 비대면 면접, 유증상자 관리 등등……

코로나19 팬데믹 시기에 입학처는 무엇보다 입시업무 담당자들의 건강관리가 가장 큰 이슈였다. 만에 하나 단 한 사람이라도 확진이 되거나 자가격리를 하게 되면 업무에 지대한 영향을 미칠 수 있기 때문이었다. 내남없이 수시로 발열 체크를 하고 손을 씻고 식사시간 외에는 마스크를 벗지 않았다. 개인적인 일정 등은 모두 뒤로 미루고 평가장, 집, 평가장, 집의 단조로운 생활패턴을 유지했다. 심지어 집에서도 마스크를 쓰고 생활했다. 그런 노력 덕분이었을까? 다행히 큰 사고 없이 수시모집 합격자 발표까지 마무리했다. 합격자 발표는 수험생뿐만 아니라 입시업무에 종사하는 우리에게도 얼마나 고대하고 고대한 날이었는지 모른다.

합격자 발표와 동시에 내가 재직 중인 대학은 검색엔진 실시간 검색어 2위까지 오르는 기염을 토해냈다. 수험생과 학부모가 이 발표를 얼마나 기다렸을지 가히 짐작하고도 남는다. 비단 우리 대학만 그럴까? 아니다. 다른 대학들도 합격자 발표와 동시에 실시간 검색어 순위권에 든다. 이는 수험생과 학부모의 간절함의 결과일 거다. 이 간절함의 결과를 마주할 때마다 부채감이 늘 마음 한구석에 남는다.

간절함은 아마도 대학이 태생적인 격차를 줄여주고 신분 상승의 사다리 역할을 해줄 거라 믿기 때문일 거다. 우리 앞 세대가 그러했다. 대학 진학이 신분 상승의 사다리 역할을 충실히 수행해왔다. 그 일련의 출세(성공신화)를 오랫동안 목도目睹해왔으니 그런 기대를 하는 건 당연할지도 모른다. 하지만 이는 학벌과 학력을 신분으로 만든 불평등 구조를 재생산해냈다. 이 재생산은 다시 대학 경쟁으로 이어졌다. 좀 더 빨리 달리고자, 좀 더 좋은 위치를 선점하고자 선행학습이 오늘도 성행 중이다.

대학입시 시장은 기울어진 운동장이 된 지 오래다. 개천에서 용 난다는 건 하늘에서 별을 따는 것만큼이나 어려워졌다. 개인의 타고난 운이 일생을 좌지우지하고 출발선의 격차가 일생의 격차로 고착되는 모양새다. 기껏 대책이라고는 아랫돌 빼 윗돌 괴고 윗돌 빼 아랫돌 괴는 식이다. 새로운 정권이 들어설 때마다 대학입시 제도는 조변석개朝變夕改했다. 지난 15년 동안 대학 입학업무에 종사하며 교육은 절대 정치적 중립의 영역이 아님을 뼈저리게 실감하고 있다.

대학입시의 이슈는 상당 부분 구조적 불평등에서 기인한다. 상황이 이렇다 보니 공정이라는 이슈는 쉽사리 해결되지 않는다. 대입제도 개혁이라는 기치를 들고 외친 공정성 논의는 언제나 그러했듯이 공허할 뿐이다. 교육 외부의 연원淵源을 대입 전형에서 그 해결책을 찾는 꼴이니 어찌 연목구어緣木求魚가 아니겠는가?

대학교육의 근본 목표는 무얼까? 아마도 학생 개개인이 자신의 소질과 적성을 잘 발휘할 수 있도록 기초를 마련해주는 것이 아닐까? 행복한 삶을 영위할 수 있도록 지원하고 격려해주는 것이 아닐까? 평가라는 잣대로 특별한 아이들을 평범한 아이들로 살게 하고 있진 않은지? 계층을 재생산하는 일에 동조하고 있지는 않은지? 어디론가 흩어지는 생각 한 자락에 그냥 허전하다. 수시모집 합격자 발표를 마치고 나서는 교정이 왠지 쓸쓸하다.

"그 순간이, 그 사람에게 마음이 쓰이지만 이내 사라지는 이유는 무얼까?"

한 학생이 컴퓨터 모니터에 놓였다. 학생의 지난 3년간의 이야기를 읽어 내려가는 동안 궁금증이 풍선처럼 부풀어 오른다. 학생이 이야기하는 정의로운 사회는 어떤 것일까? 학생이 생각하는 생존을 위해 더불어 살아가야만 하는 현시대에 필요한 지혜는 무엇

일까? 적극적인 행동을 궁리하게 만든 학생의 문제의
식은 무엇이었을까? 질문이 꼬리에 꼬리를 물때면 나
의 전형적인 ENFP 성격유형이 한몫 단단히 한다.

　질문의 끝에 이 이야기의 주인공과 한 번쯤 이야기
를 나눠보고 싶다는 생각이 자리 잡기 시작한다. 눈
에 보이는 자료 너머 학생의 이야기가 궁금해졌다.
일상에서 겪은 경험이라는 땅에서 나름대로 상상의
새싹을 키워낸 학생의 이야기가 궁금해졌다. 눈에 보
이는 현상 너머 학생이 상상하는 세상이 궁금해졌다.
궁금증을 해결하고픈 마음에 나는 그의 상상을 읽고
사유하고 상상한다.

　일정 시간을 투자하여 무언가를 탐색하고 그 탐색
의 과정을 통해 정확하게 말로 표현할 수는 없지만
기대나 희망 또는 꿈을 키워본 경험을 누구나 한 번
쯤은 가지고 있을 것이다. 그 일련의 과정에서 빼놓
을 수 없는 게 있다. 바로 상상이다. 상상은 어떠한
행동을 실행에 옮기는 시발점이 되곤 한다. 상상은
실현 가능성을 이미지화하고 그 가능성을 현실화하기
위한 행동의 동인動因이 된다. 이 동인을 알아차려 주
고 지지하는 것-학생을 선발하는 것-이 내가 하는 일
이다. 이 일련의 과정-자신의 상상을 실현하기 위해
탐구하는 학생을 만나는 것-은 내게 남다른 의미가

있다. 내가 하는 일이 가치 있는 일이며 대학 입학처에서 근무하는 존재 이유를 일깨워준다.

　대학 선택과 입학 과정에서 가장 중요한 것은 무엇일까? 나는 일말의 망설임도 없이 상상이라고 말한다. 한 인간의 생애커리어 설계 과정에서 대학 진학은 생애 첫 결정의 집합체라 할 수 있다. 이 생애 첫 결정에 상상은 생각보다 깊이 관여한다. 상상을 사로잡은 것이 모든 것에 영향을 미친다. 희망하는 대학에 진학할 수 있을지? 대학에서 무엇을 하고 싶은지? 대학에서 가장 중요하게 생각하는 것은 무엇인지? 등등…… 상상은 이 일련의 생각을 행동으로 옮기게끔한다. 결정하게 한다. 자신의 상상을 사로잡은 대학 또는 학과에 진학한 학생은 이미 멋진 시작을 한 셈이다. 그런 멋진 시작을 위해 기울인 치열했던 몰입의 흔적을 나는 읽고 사유하고 상상한다. 이 또한 얼마나 멋진 일인가!

　하지만 아쉽게도 대학 선택과 입학 과정에서 상상은 늘 뒷전이다. 내가 누구인지? 내가 원하는 것이 무엇인지? 현실은 고민하고 탐색할 수 있는 시간을 허락하지 않는다. 평화롭게 의사결정을 할 기회를 제공하지 않는다. 스트레스와 혼란 속에서 수험생은 생애 첫 결정을 한다. 나도 그랬다. 시간을 좀 허비하도록 허락해주고, 실패에 관대하길 바랐으나 현실은 그렇지 않았다. 무언가를 하도록 강요당하기에 바빴고 기대는 수시로 무시되었다. 희망과 기대의 밑그림인 상상은 30년 전에도, 지금도 늘 저만치의 거리에서 머물고 있다.

다행히 기존의 탁월함이란 가치보다 새로운 무언가를 창조하는 상상의 가치가 더 중용되는 요즘이다. 기억보다 승률이 낮은 상상력에 좀 더 관심을 기울이기 시작했다. 새로운 다름은 사색을 넘어선 탐색의 결과물이다. 즉, 상상의 결과물이다. 세상은 이미 기존의 제도와 생각을 뛰어넘는 메타 상상력을 더 필요로 하고 있다.

컴퓨터 모니터에 놓인 학생의 이야기 너머를 나는 상상한다.

'학생은 일상에서 도움이 필요한 상황과 사람을 자주 만났다. 그럴 때면 쉽게 지나치지 못하고 그 언저리를 맴돌았다. 하지만 그도 잠시, 곧 학생의 일상에서 사라졌다. 학생은 자신의 이러한 행동 양식이 문득 궁금해졌다. 그 순간이, 그 사람에게 마음이 쓰이지만 이내 사라지는 이유는 무얼까? 연민했을 뿐, 자신과 관련지어 생각해보지 않았기 때문은 아닐까? 문제가 학생 자신의 일부가 되면서 적극적인 행동을 모색하기 시작했다. 더불어 살아가는데 보편적으로 필요한 가치가 무엇인지 끊임없이 고민하고 끊임없이 목소리를 내고자 노력했다. 느리지만 함께 가는 사람만 있다면 세상을 바꿀 수 있다는 신념이 마음속에 들어섰다. 그리고 상상한다. 더불어 살아가는 자신과 우리를.'

2008년 10월. 대입제도에 대한 새로운 가능성에 대해 상상하기 시작한 순간, 나는 입학사정관에 입직했다. 어쩌면 이 대입제도를, 교육 현실을 바꿀 수 있을지도 모른다는 상상을 하며 한 걸음 한 걸음 내디며 왔다. 물론 그렇지 못한 순간의 연속에 좌절이 더 많은 현실이다. 그럼에도 불구하고 오늘 만난 학생의 이야기에 다시 한 번 상상의 나래를 펴본다. 결국, 세상의 모든 것들은 누군가의 상상으로 만들어진 게 아닌가?

선발을 넘어 교육으로

- 꿈과 끼를 키우는 교육

대학입시는 선발이라는 패러다임에 예속되어 긴 시간을 연명해오고 있다. 대입 전형의 형태는 무수히 변해왔지만 사실 많은 가운데서 골라 뽑는 방식의 다름 아니다. 결국 뽑히느냐, 뽑히지 못하느냐를 두고 웃고 우는 구조이다. 여기에 선발되었을 때의 성취감을 넘어 사회적 지위와 경제적 부를 일정 수준 이상으로 예견할 수 있다면 선발되기 위해 노력하지 않을 이유가 없다.

실제로 상위권 대학에 진학하고 졸업하여 소위 출세한 인물들을 우리는 그동안 오랫동안 목도(目睹)해왔다. 물론 그렇지 않은 경우도 많다. 하지만 경우의 수를 따져봤을 때, 상위권 대학을 졸업한 사람이 그렇지 않은 사람보다 좀 더 나은 사회적·경제적 지위를 누릴 확률이 높은 건 사실이다. 상황이 이렇다 보니 어떠한 형태로든 비교우위를 선점하기 위해 부단히 노력할 수밖에 없다. 대학입시 준비 위주의 교육은 어쩌면 당연한지도 모른다.

그렇다면 학교 본래의 기능은 무엇일까? 학교는 학생에게 교육을 시행하는 곳이다. 다양한 아이들을 키워내는 곳이다. 아이들이 다양한 능력을 키우고 희망하는 것들을 할 수 있도록 도움을 주는 것, 그것이 학교 본래의 기능이 아닐까? 학교 본래의 기능에 비춰봤을 때 작금의 교육 현장은, 교육은 어떻게 진행되고 있는가? 대학입시에서 중등교육과 고등교육 간의 계통성은 연계되고 있는가? 어른들의 당연함과 고집스러움에 우리 아이들만 학원으로, 문제 풀이로, 스펙 쌓기로 내몰리고 있는 건 아닌지? 정작 꿈과 끼를 키우는 교육이라는 캐치프레이즈는 헛바퀴를 돌고 있는 건 아닌지 모르겠다.

꿈과 끼는 학생부종합전형과 만남을 통해 그 쓸모가 극대화되었다. 성장 가능성, 잠재력이 이 전형의 key이고 그 열쇠를 거머쥐기 위해 학생도, 학부모도, 학교도 꿈과 끼를 키우기 위해 노력하고 있다. 성장 가능성을 객관적으로 증명하기 위해 그 부산물을 학교생활기록부에 차곡차곡 쌓고 있다.

대학은, 입학사정관인 나는 학생들에게 3년간 자유롭게 꿈과 끼를 키우라고 해놓고 마지막에는 선발이라는 칼을 서슴없이 들이댄다. 잠재력을 특정 행위가 아닌 우등과 열등으로 분류하고 평가하고 선발한다. 결국, 꿈과 끼는 애초의 기대와는 달리 또 다른 경쟁을 초래한다. 학생부종합전형의 여러 순기능과 함께 역기능이 더 선명해지는 지점이다.

현재의 객관화된 활동과 성취, 다시 말해 소수점 몇 자리까지 수치화된 등수를 매겨 선발하는 방식에 대한 싫증과 일정 수준의 계급 편향성을 극복할 방도로 시작된 입학사정관제, 학생부종합전형도 결국 또 다른 계급적 선발방식을 재생산해내고 있다. 교육도, 대입 전형도 이러한 결과에 대해 자유롭지 못하다. 하지만 선발이라는 비교우위의 패러다임과 그 선발에 따른 사회적·경제적 부산물에 대한 논의는 늘 뒷전이다. 여기에 더해 대입 학령인구 감소라는 큰 숙제가 우리의 처분을 기다리고 있다.

신자본주의와 학력주의 가치관에서 파생된 사회적 이슈들에 대해 이제는 강 건너 불구경하던 태도에서 벗어나 근원적인 질문을 던져야 할 때가 아닐까? 기존처럼 선발의 틀을 계속 유지해야 할까? 9할 이상을 실패자로 만드는 걸 보고만 있어야 하는 걸까? 유럽처럼 대학교육 없이도 인간다운 삶을 영위할 수 있도록 할 수는 없을까? 선발이 아니라 다양한 능력을 키우고 꿈꾸는 것들을 할 수 있도록 순수하게 돕는 것은 여전히 실현 불가능한 것일까? 그들은 되는데 우리는 왜 안 될까?

2부

당연하죠、 십분 반영됩니다

당신 일터의 품격은 안녕하신가요

"선생님, 저 이번 달까지만 출근하기로 했어요."
"아니, 왜? 무슨 일 있어?"
"무슨 일이 있는 건 아니고, 좀 쉬려고요. 너무 지쳤어요. 요즘 소화도 잘 안 되고……"

4년 넘게 동고동락했던 동료가 퇴사했다. 얄궂게도 내가 근속 10년 표창을 받던 날, 송별회도 같이 진행됐다. 송별회에서는 근속 10년 표창 심중소회心中所懷와 송별사가 동시에 진행됐다. 소회를 얘기하던 중, 난 감정이 복받쳐 올라 말을 제대로 잇지 못했다. 지글지글 끓어오르는 감정에 결국 울음을 터트렸다. 10년을 묵묵히 버텨왔다는 자긍심보다 이제 자주 못 볼 직장동료 때문이었다. 속상한 마음에 눈물을 감추며 동료에게 주먹을 날렸다. 그렇게 내 소회는 울먹임과 주먹 한 방으로 끝났다. 반면 퇴사하는 동료는 덤덤했다.

　　"지난 4년 동안 감사했습니다. 좋은 기억만 가지고 갑니다. 기회 되면 밖에서 봬요"

　　가슴에 사표를 품고 산다는 말이 있을 정도로 퇴사 충동을 느끼는 직장인들이 많다. 실제로 한 구인·구직 매칭 플랫폼의 조사에 따르면, 10명 중 9명은 사표를 내고 싶은 충동을 느낀 경험이 있는 것으로 조사됐다. 사표 충동을 느끼는 빈도도 한 달에 두세 번이 가장 많았고 하루에도 수시로 느낀다는 응답이 바로 그 뒤를 이었다.
　　10명 중 9명은 사표 충동 스트레스가 질병으로 이

어졌다고 응답했다. 이들이 겪은 질병으로는 최근 퇴사한 내 직장동료와 같이 만성피로가 가장 높은 빈도를 차지했다. 두통, 소화불량, 목 어깨 결림, 불면증, 우울증이 그 뒤를 이었다. 이 조사 결과에 나는 200% 공감한다. 사실 나도 그중 한 명이었다. 한때 사표 충동 스트레스로 불면증과 우울증에 시달렸다. 출근 생각만 해도 가슴이 두방망이질을 쳤다. 6년 전 이맘때 퇴사를 실행에 옮기기까지 했다. 어찌어찌하다 사표 철회로 지금까지 같은 직장에서 일하고 있지만, 여전히 가슴에 사표를 품고 출근하고 있다.

퇴사는 더는 남의 이야기가 아니다. 이미 하나의 사회적 현상이 되었다. 우리는 직장을 박차고 나가는데 주저함이 없는 시대를 살아가고 있다. 여기서 궁금증 하나. 왜 이렇게 됐을까? 왜 나는 출근하는 지하철 안에서 퇴사를 꿈꿀까?

미국 오하이오 주립대학의 호드슨(Hodson) 교수는 "일을 통해 자신의 가치와 존엄을 확인하는 것에서 일터의 품격이 만들어진다."라고 주장한다. 그의 주장은 인본주의 심리학자인 매슬로의 "인간의 행동은 기본적 욕구에 따라 동기화된다."라는 주장과 맞닿아있다. 특히, 욕구 위계 이론의 4번째 단계인 존중의 욕구 즉, 인간은 자신이 높게 평가받고 존중받기를 원한다와 맥을 같이한다. 일터에서 내 품격이 존중받을 때, 맡은 업무에 대한 주인의식이 발동한다. 그 주인 의식이 일터의 품격을 만드는 토대가 된다.

15년간 이어온 대학 등록금 동결에 따른 재정자립 도 악화. 재정 면에서 내가 재직 중인 대학을 포함해 사립대는 사실상 중증 환자 상태다. 상황이 이렇다 보니 가치 증대보다는 임금 동결, 부서별 예산 절감 등 원가 절감이라는 쉬운 길을 택했다. 대학 경영 위 기 상황에서 택한 그 선택은 일터의 품격을 현저히 떨어뜨리고 있다.

구조적 열악함은 일터의 품격을 좀먹어왔다. 회의 중, 사소한 실수도 용납하지 않게 했다. 동료의 의견 에 비죽거리는 입, 감정이 섞인 날 선 피드백, 대면보 다 카톡을 활용한 밍밍한 대화, 온기 없는 말, 한발 물러선 마음. 그렇게 각자의 밖에 섰다. 물론 일을 둘 러싼 외적 조건은 다른 부서와 다른 대학에 비해 나 쁘지 않다. 하지만 의미와 가치를 찾을 수 없는 반복 적인 일과 숨 막히는 분위기에 나는, 우리는 염증을 느끼고 있다. 이 염증은 무관심과 비자율적 업무 태 도로 이어지고 있다.

업무 특성상 잦은 야근과 출장은 육체적, 정신적 건강을 피폐하게 했다. 동료들은 건강상의 이유로, 새 로운 가치 있는 일을 찾아서, 계약 만료로 하나, 둘

떠났다. 그들이 떠날 때마다 자발성과 협업도 함께 떠났다. 그 빈자리엔 무례하고 이기적인 모습들이 자리 잡기 시작했다. 소극적이고 냉소적인 태도도 한자리를 차지했다.

품격을 잃은 일터에서 나는 방관자로 살아가고 있다. 부서와 일에 대한 애정과 자율성을 상당 부분 내려놓은 채. '나만 아니면 돼!', '나는 몰라!'라는 태도가 터를 잡았다. 문득 궁금하다. 나만 그럴까?

딸의 그림 나의 그림

미술학원은 6층이었다. 문을 열고 들어서자 데스크에 앉아 있던 여성이 나를 힐끔 올려다본다.

　"전화하셨던 분이시죠? 혼자 오셨어요?"
　"네, 저 혼잡니다."
　"아, 네. 이쪽에서 잠깐 기다리시겠어요. 상담 선생님 모셔올게요."

얼마쯤 지났을까, 30대 중반의 남성과 함께 그 여성이 다시 나타났다. 남성은 이 학원의 미술 교사이면서 상담교사라고 자신을 소개했다. 그리고는 데스크 옆의 빈 곳, 아마도 나처럼 상담을 받는 사람들을 위해 마련된 장소로 나를 안내했다. 책상 하나를 사이에 두고 그와 마주 보고 자리에 앉았다.

"어떻게 오셨어요?"

서먹서먹한 공기를 뚫고 그가 내게 질문을 던졌다. 그의 낮고 평온한 톤의 목소리가 이상하게 긴장감을 채근했다. '내가 이래 봬도 대한민국 입학사정관이다, 이거야!' 속으로 되뇌며 머리를 뒤로 젖히고 한껏 고자세로 앉아 있던 나는 그의 이 질문에 나도 모르게 자리를 고쳐 앉았다.

"딸아이가 이번에 고2 올라가는데요, 그림 그리는 데 관심이 있어서요. 개인적으로 봤을 때, 그림에 소질이 있는 거 같긴 한데…… 제가 이쪽 분야는 잘 몰라서 여기저기 자료도 찾아보고 했는데…… 본인은 일러스트 관련해서 관심이 있다고 하네요. 최근에 아이가 학원에 다녀보고 싶다고 해서요. 그림 몇 컷 가지고 왔는데 보고 말씀 좀 해주시겠어요."

어떻게 오셨어요? 한마디에 말을 주섬주섬 내셍기며 딸아이의 그림이 저장된 핸드폰을 내밀었다. 어젯밤에 자신의 실력에 확신이 없는 딸아이를 겨우겨우 설득해 그나마 완성도가 높다고 생각하는 그림 몇 컷을 어렵사리 받아온 터였다. 그는 그림을 보는 둥 마는 둥 하더니 이내 핸드폰을 돌려주며 하는 말이,

"그림 그리는 걸 좋아하는 거 같네요."

이게 말이야, 방귀야? 당연히 그림 그리는 걸 좋아하니 여기까지 상담을 받으러 온 게 아닌가? 그림에 소질이 있다거나 잠재력이 보인다거나 등의 상투적이지만 긍정적인 피드백까지는 아니더라도, 그림 하나하나를 꼼꼼히 보는 척이라도 해야 할 거 아닌가? 딸아이도 나도 어렵사리 그림을 내밀었는데. 순간 불쾌한 감정이 자글자글 내연했다. 내 속마음을 아는지 모르는지 그는 낮고 단단한 톤의 목소리로 상담을 이어갔다.

"내신 성적은 어떻게 되나요? 어느 대학, 어느 전공을 목표로 하고 있나요? 입시 미술은 실기 능력과 내신, 모의고사 점수를 고려해서 준비하셔야 합니다. 합격 가능성을 높이고 싶다면 실기에 많은 시간을 투자하셔야 해요. 지금부터 준비해도 가능하세요. 하고

자 하는 의지와 끈기만 있으면 됩니다."

　그의 말에 나는 십분 공감한다. 대학입시는 막연한 상상만으로는 좋은 결과를 얻기 힘들다. 분명한 목표와 적확한 계획을 세우고 준비를 해도 늘 변수가 생긴다. 다른 누군가와의 경쟁도 불가피하다. 심지어 미술 실기는 대부분 대학에서 경쟁률이 어마어마하다. 내가 재직 중인 대학도 수시모집에서 미술 실기는 평균 40:1이 넘는다. 준비도, 진입도 쉽지 않다.

　사실 내가 궁금한 건 대학입시에서 아이가 어느 정도 가능성이 있는가보다 미술 방면으로 가능성이 있는가이다. 내 관심은 아이가 어떻게 하면 좋은 대학에 갈 수 있는가가 아니라 어떻게 하면 흥미와 재능을 확장해 줄 수 있을 까이다. 딸내미가 그림 그리는 걸 좋아할뿐더러 일정 수준의 성취 경험도 가지고 있다 보니 아이의 흥미를 재능으로 더 키워주고 싶은 바람이 컸다. 딸은 진심으로 그림 그리는 것을 좋아한다. 색감도 좋고 감각도 있다. 예술적 감수성을 강점으로 가지고 있다. 그 강점을 더 키워주고 싶은 마음에 이곳에 왔는데 자신의 대학입시 지도 경험담과 함께 입시 미술 준비과정에 대한 상담이 한참 동안 이어졌다.

상담이 이어지는 동안 가능성에 대해 스스로 되물었다. 가능성은 앞으로 실현될 수 있는 정도를 말한다. 그 실현 가능성은 무엇보다 노력의 정도와 자기효능감에 기초한다. 물론 세상사가 이것만으로 충분하지는 않다. 그럼에도 개인의 노력과 할 수 있다는 자기효능감은 그 어떤 것 보다 우선된다. 나는 그렇게 믿는다. 딸아이의 흥미와 재능을 실현 가능한 꿈으로 확장해주기 위해 미술학원 등록이 필요하다 여겼다. 물론 그것이 대학 진학으로 이어지면 더 좋지 않을까 하는 생각을 하지 않은 것은 아니다. 하지만 입시 미술 준비과정에 관한 이야기가 주가 되니 적잖이 불쾌했다. 드러내 보이고 싶지 않은 생각의 파편들이 불쑥 크게 다가왔다.

　나와 아내는 스무 살에 꼭 대학을 가야 한다고 생각하지 않는다. 시기는 언제든 상관없다. 안 가도 무방하다. 지난 18년 동안 이런 가치관을 가지고 아이를 키워왔다. 우리 부부의 교육관에 따라 아이는 그 흔한 보습학원 한번 제대로 다녀본 적이 없다. 그래서일까? 아이는 학교 공부를 뛰어나게 잘하진 못한다. 괜찮다. 내신 성적이 우리 아이의 모든 것을 대변하는 것은 아니니까. 스스로 자신이 무엇을 좋아하고 앞으로 어떤 분야의 일을 하고 싶은지 알고 그것을 위해 노력하고 있으니 그것으로 이미 충분하다.

우리 부부의 교육관과는 상관없이 대학 진학이 인생의 행복과 불행을 좌지우지한다고 해도 과언이 아니다. 우리나라에서 대학 간판 없이 사회에 진출한다는 것은 여전히 불편하다. 불편함과 곱지 않은 시선을 감수하며 살아가야 한다.

대학 진학을 하지 않고 할 수 있는 것이 얼마나 될까 묻는다면 딱히 할 말은 없다. 결국, 나도 별수 없이 장삼이사張三李四일 뿐이다. 딸아이는 우리 부부가 그랬듯 힘겨운 입시의 터널을 지나 대학에 진학하고 사회라는 두려운 정글로 나가야 할지도 모른다. 하지만 왜 대학에 가야 하는지? 나는 누구이고 앞으로 무엇을 배우고 어떻게 살아가기를 원하는지? 고민하고 결정해도 늦지 않다. 온 놈이 온 말을 하여도 이 질문에 대한 진지한 고민이 먼저가 아닐까?

기
다
릴
수
없
으
면
사
랑
할
수
없
다

나는 순혈 ENFP이다. 그래서일까? 나는 심히 직관적
이고, 다분히 감정적이다. 현실의 문제에 집중하고 그
다음 순간을 기대하고 꿈꾼다. 장기적인 세계보다는
단기적인 세계에 집중한다. 카르페 디엠은 내 인생
항로의 부표다. If it is not fun, why do it. 이 문장

을 만났을 때의 전율과 떨림은 이루 말할 수 없었다. 나는 '여기', '지금'은 '미래라는 결실의 과정이다.'라는 인생관을 가지고 '현재에 흩뿌려진 조각들을 미래의 퍼즐에 채워 넣는걸' 즐긴다. 내 행동에 명확한 확신은 없지만, 현재를 바꿀 수 있는 능력을 갖추고 있다고 믿는다.

이런 성격유형인 나와 나를 둘러싼 관계, 특히 딸내미와 아들내미에 대한 내 생각은 한결같다. 딸내미는 게으르고 완벽주의자다. 아들내미는 고지식하고 FM이다. 직관적이고 즉흥적이며 자유분방한 ENFP 성향인 내게 딸내미와 아들내미는 늘 '제한과 타협'의 대상이다. 다름을 인정하고 수용적 태도를 보이는 것이 양육의 시작이라고 하는데, 참 어렵다.

딸내미는 그림 그리는 것을 좋아한다. 내가 보기에 소질도 충분하다. 매번 잘 그렸는데도 자신의 실력이 부족하다고 생각한다. 완벽하게 그려질 때까지 그림을 절대 보여주지 않는다. 매번 그림 보여주기를 시뜻해한다. 상황이 이렇다 보니 몰래몰래 훔쳐볼 수밖에 없다. 완벽주의 때문에 딸은 걱정과 부담감에 그림 그리기를 주저한다. 그리고는 이내 게으름을 피운다. 지금 시작하고 나중에 완벽해지면 되는데 매번 아쉬움이 하늘하늘 피어오르는 것 같다. '잰 놈 뜬 놈만 못하다'라고 일은 빨리 마구 하는 것보다 천천히 성실하게 하는 것이 더 낫다마는 속도가 너무 느리다.

아들내미는 무엇 하나 호락호락하지 않다. 논리적으로 설득이 돼야만 행동으로 옮긴다. 자신만의 생각이 뚜렷하고 원칙을 고집한다. 상황에 따라 유연하게 행동하면 좋겠는데 원리원칙에 살고 원리원칙에 죽는다. 남 하는 대로 따라가면 되는데 중뿔나게 혼자 고집을 부린다. 딱 맞고 벗어남이 없어야 한다. 이런 아들 녀석한테 나는 종종 종주먹을 들이대지만 소용없다. 아들의 이 같은 기질은 AM인 내가 넘기 힘든 산이다.

밤 9시 50분. 미술학원 수업을 마치고 내려온 딸을 픽업해서 집으로 돌아오는 차 안에서 딸내미가 입시 미술 준비 등의 고충을 털어놓았다.

"나보다 그림을 잘 그리는 애들이 너무 많아!"
"그림을 여전히 못 그리는 거 같아!"
"학교 수행 준비도 해야 하는데, 망했어!"

딸의 하소연이 끝나기도 전에 "라떼는 말이야……"

를 연발하고 있는 나를 마주한다. 대학 졸업을 앞두고 "라떼는 말이야……"로 시작되던 승자의 떨림이 가득한 선배들의 충고가 달갑지 않았던 나였는데 이렇게 열변을 토하고 있다. 딸아이의 푸념을 그냥 들어주고 고개를 끄덕여주면 그뿐인데, 희떱게 씨불이며 우쭐대는 내 목소리가 차 안 가득하다. 뒤이어 불편한 침묵의 시간.

아차차! 오늘도 때늦은 후회를 한다. 후회와 함께 아이들의 모습 속에 숨어 있던 나를 마주한다. 내 아이들 속에 숨어 있는 나를 들여다본다. 아이들은 그냥 아이일 뿐인데, 내가 색안경을 끼고 바라보고 있지는 않은지? 조금만 들여다보면 알아차릴 수 있는 일인데 손쉽게 아이들을 평가하고 있지는 않은지? 아이들은 그대로 완전체인데, 나처럼 자신들만의 스타일을 갖고 있을 뿐인데, 내가 부정하는 것들로 아이들을 바라보고 있지는 않은지?

기다릴 수 없으면 온전히 사랑할 수도 없을 텐데…… 룸미러 너머 딸아이의 시무룩한 표정에 코끝이 알싸하다.

부모의 모습으로 돌아가는 길

"부모는 멀리 보라하고
학부모는 앞만 보라 합니다.
부모는 꿈을 꾸라 하고
학부모는 꿈꿀 시간을 주지 않습니다.
당신은 부모입니까? 학부모입니까?
부모의 모습으로 돌아가는 길,
참된 교육의 시작입니다."

어느 공익광고협의회의 광고 내용이다. 이 공익광고가 나오기 전부터 학업만 강요하는 학부모가 아닌 자녀와 생각을 공유하는 부모로 돌아가야 한다고 줄곧 입을 모아 얘기해왔다.

학업만으로 우리의 자녀들이 의미 있고 행복한 삶을 영위할 수 없다는 사실은 이미 익히 알려진 사실이다. 국제 학업성취도 평가에서 우리나라 학생들이 다른 나라의 학생들보다도 뛰어난 성적을 거뒀음에도 불구하고 가장 불행하다고 조사되었다는 뉴스를 매년 접한다. 이를 반증이라도 하듯 통계청 자료에 따르면 우리나라 청소년의 자살 이유는 성적과 진학 때문이 가장 큰 것으로 드러났다는 조사도 심심치 않게 듣는다.

부모 된 우리는 우리의 자녀가 행복한 삶을 영위할 수 있도록 조력자의 역할만 잘 해내도 충분하다. 자녀가 스스로 성장해 나갈 수 있도록 격려하고 지지해 주면 그만이다. 자녀가 자신의 진로를 결정하는 주체가 되도록 돕는 일에만 소홀히 하지 않아도 우리 자녀는 우리의 기대 이상으로 성장해 나갈 것이라 믿어 의심치 않는다.

부모로 돌아가자고 구호만을 외칠 것이 아니라 멀리 볼 수 있도록, 꿈꿀 수 있는 시간을 좀 허비하도록, 실패에 관대한 부모가 되기 위해 더 많은 노력을 기울여야 하지 않을까?

경험의 진정성과 과정의 사유

"성공적인 면접 준비 방법이 있다면 알려주세요."
"어떻게 하면 면접에서 좋은 결과를 얻을 수 있을까요?"

　학생부종합전형 설명회를 진행하다 보면 어김없이 등장하는 질문이다. 이 질문에 대한 답은 분명하다. 정해진 시간 내에, 자신의 최대치를 발휘하면 된다. 면접은 자기 자신의 모든 것을 다 표현할 수 없는 구조적 성격을 지니고 있다. 따라서 자신의 경험 중, 가장 의미 있는 활동(사건)을 선택해 정해진 시간-보통 10분 내외-내에 자신의 잠재능력의 최대치를 표현해야 한다. 선택과 집중이 필요하다.

　그렇다면 어떤 것을 선택하고 집중해야 할까? 답은 의외로 간단하다. 고등학교 3년 동안 자신에게 가장 특별했던, 인생의 터닝 포인트가 되었던 활동을 선택하여 집중하면 된다. 가장 의미 있었던 활동에 대해 언제, 어디서, 누구와 무엇을, 어떻게 진행하였는지 이야기하면 된다. 그 활동이 지원한 학과 또는 진로와의 연계성, 자기 주도 학습 능력을 키우는 데 있어서의 연계성, 공동체 의식 등을 함양하는 데 있어서의 연계성을 1인칭 주인공 시점으로 풀어내면 된다.
　자신에 대한 이해를 바탕으로 직간접적으로 참여한 학교 활동의 경험에 대해 자기 자신만의 언어로 그것을 표현하면 된다. 지원한 학과와 미래의 꿈을 갖게 된 계기를 시작으로 이 학과, 이 대학을 진학하기 위해 어떤 노력과 성장을 해왔는지에 대한 구체적인 내용을 자신의 언어로 표현하면 된다. 탐색과 실천 경험을 진정성 있게 입학사정관에게 들려주면 그만이다. 진지함과 진심이 묻어나는 작지만 의미 있는 교내활동에 귀를 기울이지 않을 이유가 없다.

학생부종합전형에서 기대하는 결과를 원한다면 무엇보다도 자신의 미래에 대한 진지한 고민이 우선되어야 한다. 나에 대한 정확한 이해를 바탕으로 자신의 꿈과 미래 직업에 대한 진지한 고민, 그리고 실천적 탐색이 이어져야 한다. 왜냐하면, 자신에 대한 진지한 성찰과 고민의 과정이 있어야만 타인과 다른 나만의 스토리를 써 내려갈 수 있기 때문이다. 이때 경험의 진정성과 과정의 사유를 망각하는 오류를 범하지 않도록 유념하길 바란다.

당연하죠, 십분 반영됩니다

"독서 활동도 평가하시나요?"
"어떤 책이 도움이 될까요?"

학생부종합전형 설명회를 진행하다 보면 자주 접하는 질문이다. 대입 전형을 준비하는 입장에서 궁금할 법하다. 효율적인 방법으로 대입 준비를 하고자 하는

마음도 충분히 이해가 간다. 그럼에도 나는 속으로 발끈한다. '당연하죠, 평가에 십분 반영됩니다!'

독서 활동과 관련된 이 질문을 꼼꼼히 뜯어보면 2가지 의미가 있다. 우선 대입 전형 특히, 학생부종합전형에서 독서 활동도 평가가 되는지 아닌지가 궁금하다는 것이다. 이 질문의 저변에는 평가가 되면 독서를 하고 그렇지 않으면 하지 않아도 되겠다는 생각이 깔려있다. 또 하나는 공부하기도 빠듯한 데 평가에 꼭 필요한 책을 좀 더 쉽게 고르고 싶은 마음에서다. 효율적으로 대학입시를 준비하겠다는 의지가 담겨있다.

나는 독서 예찬론자는 아니다. 다만 자기 생각을 만드는 데 독서만 한 것이 없다는 말에는 적극적으로 동의한다. 책을 읽으며 작가의 생각을 읽고 그 가운데 무언가를 보고 느낀다. 종국에는 자기 생각을 만들어낸다. 그 생각이 동인動因이 되어 다른 무언가를 하기 위해 스스로 몸을 움직이게 된다. 누구나 한 번쯤 이런 경험이 있을 것이다. 요즘 내가 그렇다. 글 한 편을 쓰기 위해 관련 분야 책을 읽는다. 책을 통해 다른 사람의 생각을 빌려 내 생각을 정리하고 만든다. 만들어진 생각이 글이 된다.

다시 학생부종합전형으로 돌아와서 살펴보자. 독서 활동 과정에서 드러나는 지적 호기심을 통해 평가자는 학생의 자기 주도적 학업역량을 들여다본다. 관심이 생긴 분야의 책을 주도적으로 찾아 읽고 그 내용을 토대로 실천하는 모습을 통해 자기 주도적 학습 태도도 읽어낸다. 책을 즐겨 읽은 학생의 학교생활기록부에서 관심 분야가 확장되고 소위 꼬리 물기 독서로 이어지는 기록들을 종종 만난다. 이런 학생을 만날 때면 감미로운 전율과 함께 자기반성을 한다. 당연히 좋은 평가로 이어진다.

책 읽는 습관이 잘 형성되어 있는 학생은 대학에서 수학할 준비가 되어 있는 학생이다. 대체로 독서량이 풍부한 학생은 쓰기와 말하기에서 두각을 나타낸다. 우선 자기소개서 내용이 남다르다. 깊이 있는 자기 성찰과 표현력에 감탄을 자아낸다. 면접에서도 자기 생각을 논리 정연하게 전달한다. 책을 즐겨 읽는 학생을 뽑지 않을 이유가 없다.

물론 독서량이 많다고 해서 꼭 좋은 평가를 받는 것은 아니다. 수박 겉핥기식으로 책을 읽는 학생도 간혹 있다. 이런 학생의 사고의 깊이와 면접 장면의 모습은 대체로 실망스럽다. 깊이 있는 성찰 과정이 빠져 있기 때문이다.

우리는 독서를 통해 관심 분야에 대해 간접경험을 한다. 독서는 시·공간의 물리적 한계를 뛰어넘는다. 독서를 통해 새로운 지식을 얻고 다양한 시각과 교양을 쌓는다. 다양한 저자의 책을 읽으며 다양한 사람의 눈으로 세상을 바라보게 된다. 보는 것이 사는 것의 다름 아니다. 대학 진학뿐만 아니라 삶의 이정표가 되는 독서를 하지 않을 이유가 있을까?

네,
괜찮습니다

"수찬아! 넌 꿈이 뭐야?"

　아들 녀석이 스마트폰 게임을 하던 걸 멈추고 물끄러미 나를 올려다본다. 왜 그런 걸 물어보지 하는 시큰둥한 표정이다. 아들의 표정을 뒤로한 채, 다시 물었다.

"나중에 커서 뭐가 되고 싶냐고?"
"되고 싶은 거 없는데!"

아들은 대수롭지 않은 질문에 대수롭지 않게 대답하고는 하던 게임을 이어갔다. 특별한 무언가를 기대하며 질문한 거는 아니었지만 아들 녀석의 대답이 못내 아쉬웠다.

넌 꿈이 뭐니? 어릴 적 호구조사처럼 끊임없이 나를 따라다녔던 단골 질문이었다. 기억건대, 이 질문에 확실하게 답하지 못하는 친구는 한심한 녀석 취급을 받곤 했다. 그래서일까 나는 꿈을 가져야 한다는 강박 아닌 강박에 시달렸다. 꿈을 가져야 한다는 당위성에 매몰되어 정작 내가 원하는 것을 깊이 있게 고민하지 못했다. 그때그때 임기응변식으로 직업명을 얘기하곤 했다. 축구선수, 정신과 의사, 작가, 연극배우, 선교사, 대학교수, 큐레이터……

꿈의 사전적 의미는 실현하고 싶은 희망이나 이상이다. 엄밀히 말해 꿈은 직업을 묻는 것이 아니다. 그런데도 하고 싶은 일을 직업으로 삼으라는 교육을 받고 자란 탓일까? '꿈=직업'이라는 공식이 내 머릿속에 자리 잡혀있다. 이러한 생각은 비단 나만 그런 거 같지는 않다. 대입 설명회나 상담 장면에서 만나는 학생들의 대답도 나와 별반 다르지 않다. 어떤 일에 종사하고 있느냐에 따라 내 정체성이 결정되는 시대에 살고 있으니 당연한 결과일지도 모른다. 다만 꿈이 없다고 응답하는 학생의 비율이 낮지 않음에 안타까운 마음이다. 초·중·고 학교생활기록부에는 진로희망사항이라는 항목이 존재하지만 정작 학생들은 꿈이 없다고 한다. 한 여론조사에 따르면 서울 시내 중학생 10명 중 4명은 장래희망이 없다고 한다. 내 아들 녀석도 그중 한 명이다.

학생부종합전형은 진로설계라는 측면에서의 순기능과 함께 진로희망 변경에 대한 두려움을 양산하는 역기능도 갖고 있다. "진로희망이 바뀌었는데, 괜찮을까요?" 입학설명회에서 자주 등장하는 질문이다. 이 질문은 진로희망이 변경되면 대입 특히, 학생부종합전형에서 좋은 평가를 받지 못할 거라는 생각이 반영된 결과물이다.

이 질문에 대한 내 대답은 명확하다. "네, 괜찮습니다!" 꿈은 언제든 바뀔 수 있다. 전혀 문제 되지 않는다. 진로 탐색 과정에서의 자기 주도적 성찰 태도가 그 무엇보다 우선이다.

사실 진로희망을 설정하고 관련 학과를 연계하여

학교생활을 한다는 것은 쉬운 일이 아니다. 학교생활을 통해 보고 듣고 체험하고 느낀 것에 따라 새로운 관심 분야가 생기고 진로 목표도 변할 수 있다. 나도 고등학교 시절 작가, 연극배우, 선교사 등 다양한 진로희망을 품었었다. 글쓰기, 연극부 활동, 종교 활동이 고등학교 3학년 때 해외 문화선교사라는 꿈으로 이어졌다. 그 꿈을 실현하기 위해 나는 어문계열을 우선순위에 두었고 최종적으로 중어중문학과에 진학했다.

대학 학과에 포커스를 맞춰 자신의 꿈을 키울 수도 있고 계열을 고려하여 꿈을 키울 수도 있다. 관심 있는 분야에 대한 다양한 학습과 탐색을 통해 진로를 찾아가도 무방하다. 자신의 꿈을 이루기 위해 계획을 세우고 도전하는 게 먼저다. 관심 분야 관련 몰입의 경험이 있는 학생을 대학이 뽑지 않을 이유가 있을까?

수험생에게 조언 한마디

매년 1학기에는 다양한 기관에서 대입 관련 자료 작성 요청을 해온다. 불행 중 다행은 대부분 비슷한 질문인지라 한 기관의 자료를 충실히 작성하고 나면 그 다음은 수월하다.

질문별로 작성하고 나면 마지막 질문에 대한 답변이 늘 고민이다. 전년 대비 주요 변경 사항, 전형별 특징, 전형별 입시 결과, 지원전략 등 대부분 질문은 객관적 데이터를 조금씩 가공해서 작성하면 된다. 하지만 마지막 질문은 어김없이 수험생에게 전하고 싶은 말이 있다면, 수험생에게 조언 한마디가 차지한다. 수험생들에게 정말 도움이 되는 조언을 해야 한다는 부담감도 있지만 제한된 글자 수-대체로 500자 내외-로 작성해야 하는 게 여간 곤욕스러운 게 아니다.

　나는 대학입시 정보는 공공재라고 생각한다. 대학 진학률이 매우 높은 우리나라의 특수성을 고려한다면 당연하다. 사실 대학은 나름대로 정보를 제공하고 있지만, 교육수요자들은 여전히 정보가 부족하다고 생각한다. 학생부종합전형의 경우는 더더욱 그렇다. 깜깜이라는 수식어가 늘 따라붙어 다닌다.

　대학은 그동안 크게 2가지 측면에서 정보 공개를 꺼려왔다. 정보 공개가 결국 사설 업체의 돈벌이에 악용되리라는 것과 합격사례 제공이 획일화된 전형자료를 재생산할 것이라는 우려가 그것이다. 이러한 우려는 일정 부분 확인되기도 했다. 돌이켜 생각해보면 대학입시에 대한 불신은 정보 부족에 기인하고 있음도 부인할 수 없다.

　대학입시에서 투명성은 꼭 필요한 요소다. 최근 대학들은 교육부의 투명한 정보 공개 지침 아래 대입과 관련하여 상세한 정보를 제공하려고 노력하고 있다. 매우 고무적인 일이 아닐 수 없다. 이러한 노력을 통해 정보독점과 정보통제로 야기되었던 여러 사회문제와 소모적인 논쟁도 일정 부분 해결될 수 있을 것으로 보인다.

사설이 길었다. 최근에 한 기관에 보냈던 수험생에게 조언 한마디 전문을 소개하며 이 글을 가름할까 한다. 이 진심 어린 조언이 입시 준비의 불안감을 가뭇없이 사라지게 하길 기대해본다.

자신의 이야기에 경청하고 자기 자신에게 호기심을 가져보기 바란다. 도깨비 쓸개만큼의 호기심이면 충분하다. 특별히 고등학교 생활 중에 일정 기간 호기심을 가지고 폭넓게 탐구했던 교과와 비교과 활동에 대해 깊고 자세히 들여다보길 추천한다. 이 평범한 시간을 통해 놀랍게도 새로운 자기 자신과 마주하게 될 것이다.

톺아보는 가운데 운이 좋다면 이전과 달리 사고의 변화와 성장한 부분을 확인할 수 있을 것이다. 이 과정에서 한 가지 주의할 점은 상대방보다 비교우위에 있는 것을 찾기보다는 자신만의 절대적 강점을 찾길 바란다. 경험으로 이미 알고 있듯이 비교는 내가 할 수 있을까 하는 의구심을 증폭시키곤 한다. 타인과의 비교가 아닌, 자신만의 강점에 집중하여 자신의 고등학교 생활을 들여다보길 바란다. 이를 기반으로 대학과 학과를 선택해야 한다. 입시 결과만으로 학과 등을 선택하여 우울한 대학 생활을 시작하는 우를 범하지 않기를 기대한다.

3부

쓰기 생활 루틴이

함부로 설레는 마음

특별할 것 없는 초겨울 오후. 대학입시 업무를 마치고 동료들과 뒤풀이하러 가는 대신 우리 동네 청년연구소로 향했다. 지난여름, 동네 청년들을 위해 무언가를 해보자며 의기투합했던 시간이 서려 있는 곳이었다. 바쁘다는 핑계로 한동안 들르지 못했던 터라 발걸음이 살짝 무거웠다. 끼익 문을 열고 들어서는 순간, 소장이 생글생글 반갑게 맞아주었다. 미안한 마음과 감사함이 교차했다. 간단한 안부와 함께 그동안 어떻게 지냈는지 소소한 이야기가 오고 갔다.

이야기를 주고받다 보니 이전에 보지 못했던 진열장 하나가 눈에 띄었다. 진열장은 색은 좀 바랐지만 고풍스러운 풍격을 뽐내고 있었다. 진열장에는 필름카메라들이 놓여있었다. 궁금해 물으니, 요즘 필름카메라를 활용해 사진을 찍고 찍은 사진을 인스타그램에 올린다고 했다. 말을 마치기가 무섭게 핸드폰을 꺼내 자신의 계정에 올려놓은 사진을 보여주었다. 제법 잘 찍었다. 사실 눈에 들어오는 사진들보다 그의 다음 말이 내 귀를 솔깃하게 했다.

"요즘, 필름카메라 판매를 통해 월 천만 원의 매출을 올리고 있어요."
"뭐라고요?"

나는 하마터면 소리를 지를 뻔했다. 자연스럽게 우리의 다음 화제는 인스타그램으로 정해졌다.

연구소를 나오며 나도 모르게 마음이 분주해지기 시작했다. 월급쟁이 생활이 뻔 한지라 소소한 부업거리를 찾던 내게 이 이야기는 가슴 뛰는 일이 아닐 수 없었다. 아니, 어떻게 월 천만 원의 매출을 올릴 수 있지? 도대체 인스타그램이 뭐기에? 예전에 학생들의 성화에 만들어 놓고는 하나도 신경 쓰지 않았던 인스타그램 계정을 꼼꼼히 연구하기 시작했다. 정사각형의 다채로운 세계가 눈앞에 펼쳐졌다. 숍, 음식, TV 드라마, 영화, 여행, 애완동물, 음악 등등 테마별로 잘 정리되어 있었다. 신세계였다. 이게 바로 월 천만 원을 만들어낸다는 그 보물 상자였다. 나는 이걸 활용해서 할 수 있는 것이 뭐가 있을지 궁리하기 시작했다. 잘할 수 있고 쉽게 지치지 않을 만한 아이템이 필요했다.

궁리 끝에 신춘문예에 도전했던 경험을 밑천 삼아 시를 써보기로 했다. 마음이 정해지자 전화통화, 카카오톡 메시지 보내기, 사진 찍기가 전부였던 내 핸드폰이 분주해지기 시작했다. 문득문득 뭔가 떠오를 때마다 핸드폰 메모장에 기록하기 시작했다. 일상에서 보고 듣고 느낀 것을 언어로 세공했다. 네이버 어학사전은 세공장의 역할을 톡톡히 해냈다. 잠깐 떠오른 것들을 다시금 꺼내 끼적거리니 한 편의 시가 됐다. 그리고 그 시는 곧바로 인스타그램에 올려졌다.

메모장은 종종 나를 멍하게 만들었다. 분명히 무언가를 쓰려고 메모장을 열었는데 막상 쓰려고 하면 그 무언가를 잊어버리고 다른 내용을 쓰곤 했다. 며칠이 지나서야 그날 진짜 쓰려고 했던 것이 생각나곤 했다. 사실 아무래도 상관없다. 잠시라도 무언가를 쓸 수 있음이 좋다. 스스로 자기만의 세상을 만들어가는 호젓한 시간과 공간이 좋다. 가만히 몇 번 돌아볼 수 있는 하찮은 순간순간들이 새라 새롭게 다가온다. 생각해보면 그동안 이 즐거움을 왜 즐기지 못했을까 의아할 정도다. 단순히 생계를 위해서 일하는 것과는 또 다른 재미와 설렘을 선사했다.

　가슴 한 귀퉁이에 걸려있는 이야기. 그 이야기들의 작은 입자들이 머릿속에서 제멋대로 유영한다. 생각이, 사람이, 어느 한순간이 글쓰기라는 자장 주위를 맴돌며 조그마한 파동을 일으킨다. 그 파동에 이끌려 그것들을 한데 모아 조물조물해본다.

　생각은 마냥 분주하고 일상은 여전히 따분하다. 그 지난한 일상을 메모장에 담아내고 조물조물하니 문장이 되고 글이 된다. 그럴싸하다. 이 그럴싸한 일련의 과정이 설렘이 된 지 오래다. 요즘 이 설렘은 내 일상에서 어찌할 수 없는 것 중, 가장 많은 비중을 차지하고 있다.

마을을 온통 도배질하다

아내의 강의 일정에 운전기사로 동행했다가 그 지역의 한 서점에 들렀다. 매대 위에 줄느런히 늘어놓은 수많은 책 중, 유독 한 권이 눈에 들어왔다. 녹색 바탕에《쓰기의 말들》은유 지음이라고 적혀있었다. 특별히 시선을 사로잡을 만한 표지 디자인도 없고 색상도 디자인도 밍밍했다. 그런데도 이 책을 집어 들게 된 이유는 표지에 있는 한 구절 때문이었다. '안 쓰는 사람이 쓰는 사람이 되는 기적을 위하여' 글쓰기에 한창 관심이 있던 터라 어떻게 그 기적을 이루어 낼 수 있는지 몹시 궁금했다.

"나는 글쓰기를 독학으로 배웠다. 처음부터 쓴다는 목적을 가진 건 아니었다. 시작은 읽기였다. 그러니까 독학이 아니라 독서였다."(9쪽)라고 책은 시작한다. "이상하게 가슴을 뜨겁게 달구었(9쪽)던" 문장들에 밑줄 긋는 책 읽기. 그게 책 쓰기의 시작이었다고 작가는 말한다. 뼈를 때리는 촌철살인 같은 문장이 내 마음을 송두리째 빼앗아갔다. 이 몇 문장을 읽고 바로 충동 구매했다. 하고 싶은 일에는 방법이 보이고 하기 싫은 일에는 핑계가 보인다고 했던가? 바로 결재를 하고 그다음 문장을 이어서 읽어 내려갔다. 역시나 마음을 사로잡는다. 온통 담고 싶은 내용이다.

오래 기억하고 쉽게 찾기 위해 난 늘 그랬듯 형광

색연필을 찾았다. 이런! 가방을 아무리 뒤져봐도 없다. '가슴을 뜨겁게 달군' 문장들에 밑줄 그으며 읽고 싶었는데 그럴 수 없음이 못내 아쉬웠다. 귀가 일정도 남아 있던 터라 아쉬움을 뒤로하고 서점을 나왔다. 귀가하는 차 안에서도 그 몇몇 문장이 계속 가슴을 뜨겁게 달궜다. 마음을 온통 도배질한 문장들을 잊지 않으려는 조바심에 가슴이 두방망이질 쳤다.

집에 도착하자마자 녹색 형광 색연필을 찾았다. 차 안에서 되뇌었던 문장들을 찾아 밑줄을 쳤다. 담고 싶고 내 마음 같은 문장에 온통 형광 색연필로 도배질했다. 절실하게 와 닿았던 문장들을 잃어버릴까 조급했던 마음이 비로소 놓였다. 밑줄 그은 문장을 몇 번이나 읽고 또 읽었다. 녹색 형광색과 함께 밑줄 그은 문장 속의 글자가 살아 숨 쉬는 듯하다. 단어가, 문장이, 문단이 입체적으로 눈에 들어오고 마음에 오롯이 감겨온다.

언제부터인가 책을 읽을 때면 형광펜은 늘 내 곁에 있었다. 형광펜과의 동거는 대학 시절, 교내 문구점에서 우연히 마주친 이후로 지난 20여 년 동안 계속되고 있다. 형광펜을 처음 마주하던 날, 테스트용 형광펜을 들고 메모지에 연신 줄을 그었던 기억이 난다. 한 번에 한 개씩 긋기도 하고 두세 개를 동시에 긋기도 했다. 그중 가장 압권은 빨주노초파남보 7가지 형광펜을 한 손에 쥐고 긋기였다. 그럴 때면 무지개가 하나둘 그려졌다. 밑줄을 그을 때 나는 쓱쓱 소리도 이상하게 좋았다. 형광펜으로 밑줄 그은 부분이 눈에 쏙쏙 들어오니 왠지 암기도 잘 될 거 같았다. 그때부터 형광펜은 책을 읽거나, 공부를 할 때면 늘 내 곁을 지켰다. 최소한 책이 비에 젖어 형광펜으로 밑줄 그은 부분이 번지거나 시간이 지나 밑줄 그은 부분의 색이 바래는 게 속상하기 전까지.

나처럼 형광펜을 사랑하는 사람들의 고충을 알았을까? 몇 해 전, 형광 색연필이 내 앞에 등장했다. 형광펜을 처음 마주했던 날처럼 나는 한동안 문구점을 떠나지 못했다. 지금은 4색 형광 색연필이 내 책상 위에 놓여있다. 나는 그중에 녹색 형광 색연필을 애용한다. 눈의 피로를 줄여주는 낮은 채도와 명암의 녹색 형광 색연필. 이 녀석은 마치 오래 입어 목이 늘어난 니트처럼 오늘도 내 곁을 지키고 있다.

책을 읽다 보면 가끔 문장 전체의 호흡이 좋아 밑줄을 그을 수 없는 문단을 대면하기도 한다. 그럴 때면 형광 색연필 대신 마음으로 밑줄을 긋는다. 그리고 얼마의 시간이 지나 다시 펼쳐보곤 한다. 한때 절실하게 와 닿았던 그 소중한 문장들을. 요즘 은유 작가의 《쓰기의 말들》 중의 한 문단이 내 가슴을 뜨겁게 달구고 있다.

"읽고 쓰며 묻는다. 몸으로 실감한 진실한 표현인지, 설익은 개념으로 세상만사 재단하고 있지는 않는지. 남의 삶을 도구처럼 동원하고 있지는 않는지. 앎으로 삶에 덤비지 않도록, 글이 삶을 초과하지 않도록 조심한다."(51쪽)

은유, 《쓰기의 말들》, 도서출판 유유, 2016

책상, 나를 나답게 하다

몇 해 전, 딸내미 공부방을 꾸며줄 양으로 책상 하나를 구매했다. 딸아이가 최소 대학 진학할 때까지 사용할 수 있는 괜찮은 제품을 사기 위해 나와 아내는 몇 날 며칠 온라인 서핑을 했다. 생각보다 책상 종류가 다양했다. 책상의 종류도 종류지만 문제는 '괜찮은 책상'의 기준이 나와 아내가 달랐다. 나는 부피가 작은 무난한 일자형 책상을, 아내는 캐비닛이 다리 역할을 하는 편수형 책상을 고집했다. 나는 실용적인 면에서 편수형 책상도 좋지만, 너비가 긴 일자형 책상에 2, 3명이 같이 앉아서 사용하면 더 좋지 않으냐고 아내를 설득했다.

여러 날 논의 끝에, 눈의 피로를 최소화할 수 있는 녹색 바탕의 가성비도 좋은 일자형 책상 하나를 구매했다. 며칠간의 힘겨루기를 비웃듯 책상은 하루 만에 배송이 됐다.

매뉴얼에 따라 나는 손수 책상을 조립했다. 설명서의 안내대로 조립하는데도 이상하게도 아귀가 잘 맞지 않았다. 전형적인 문과생의 한계를 드러내며 30여 분의 사투 끝에 겨우겨우 책상 조립을 마쳤다. 조립에 비하면 배치는 간단했다. 거실의 채광이 가장 좋은 위치에 책상을 놓았다. 책상이 놓이자마자 딸내미는 그 앞에 앉아 그림을 그리고 무언가를 끄적거리고 책을 읽는다. 여간 뿌듯하지 않다. 딸내미 왈, 이 책상 앞에 앉으면 뭐든 더 잘할 거 같다나 뭐라나. '그래, 그림이 쓱쓱 그려지고 책장도 술술 넘어가면 좋겠다. 그래서 자주 이 앞에 앉길' 나는 속으로 바랐다.

그 바람은 여전히 유효하다. 책상이 크고 널찍한 까닭에 30cm 정도의 거리를 두고 딸과 나란히 앉아 저는 저대로 나는 나대로 책을 읽고 글을 쓴다. 딸내미는 책상 앞에 앉아서 그림을 그리고 책을 읽고 웹툰을 보면서 키득키득 웃기도 하고 이따금 엎드려 잔다. 그 모습 하나하나를 근거리에서 볼 수 있어 좋다. 사춘기의 딸내미가 곁을 내어주는, 내 손때가 묻은 이 책상이 더없이 마음에 든다.

  내게 할당된 책상 위에 평소 읽고 싶었던 책을 마음껏 쌓아둘 수 있어 좋다. 때때로 책상 위에 딸이 읽으면 좋을 법한 책을 올려놓고 딸내미가 읽어주기를 기다리기도 한다. 책상 위에 무심한 척 놓아둔 책을 딸아이가 집어 들고 읽을 때의 감동은 그 어느 것보다 강렬하다. 책장이 술술 넘어가길 기대하며 딸을 힐끔힐끔 쳐다보는 재미도 쏠쏠하다.

  나는 이 책상 앞에 앉아 음악을 듣고 책을 읽는다. 내 기분을 언짢게 하지 않을 만큼의 딸내미의 곰상스러운 말씨와 고물고물한 행동, 스스로 나만의 세상을 만들어가는 이 호젓한 공간과 시간을 즐긴다. 때때로 열심히 생각을 공글리고 글을 쓴다. 가만히 몇 번 돌아볼 수 있는 하찮은 순간순간을 담는다.

하루도 쉽지 않은 날이 없다. 늘 그러했듯이 우여곡절 끝에, 오늘도 나는 나를 나답게 느끼게 해주는 책상 앞에 앉았다. 이 녀석은 이제 오래 입어 목이 늘어난 니트처럼 편안하다. 그 편안함 위에 노트북이 하나 더해진다. 내 마음이 나 자신에게 주의를 기울인다. 한글 빈 문서에 한 문장 한 문장 내 마음이, 내 생각이 아로새겨진다. 삐뚤삐뚤 그려진 질곡의 경험이 고르게 늘어선다. 그럴싸하다. 보기 좋다. 새 살을 키워내기 위해 커서가 깜빡깜빡 인다. 이 또한 정겹다. 뭉근한 하루가 저물어간다.

쓰기생활 루틴이

문제는 시작이다. 항상 시작이 문제다. 어떤 일을 새롭게 시작하기는 늘 쉽지 않다. 운 좋게 시작을 하더라도 도중에 쉬었다가 다시 시작하려면 처음보다 더 힘들다. 처음에 겪었던 어려움을 다시 겪어야 한다는 불편함이 시작을 주저하게 한다. 다이어트가 그렇고 버킷리스트가 그렇고 글쓰기가 그렇다.

글쓰기. 동기는 늘 충분한데도 시작이 쉽지 않다. 어렵사리 시작하더라도 매일매일 쓰지 않으니 감각을 계속 유지하기가 어렵다. 자주 하면 시작이 수월하다는 것을 경험으로 이미 잘 알고 있지만 내가 마주하는 현실은 늘 녹록지 않다. 좋아하고 잘하고 싶은 일인데 이상하리만큼 쉽지 않다.

오늘만큼은 노트북 앞에 지긋이 앉아 글을 써야지 하다가도 생각지도 못한 일들이 수시로 나를 책상에서 밀쳐낸다. 갑자기 날아든 지인의 장례식 소식에 조의를 표하러 가야 한다. 오늘따라 아내의 귀가가 늦어져 저녁 준비를 하고 미술학원으로 딸내미를 픽업하러 가야 한다. 새로 시작한 드라마가 취향 저격이라 본방송 사수를 하지 않으면 도저히 안 될 거 같다. 막 업데이트된 웹툰 내용이 무지무지 궁금하다. 이것저것 산만하게 찝쩍거리다 글의 첫 문장도 쓰지 못하고, '내일부터 다시 시작!'을 외친다. 오늘도 하지 못했다는 죄책감은 덤이다.

어떤 날은 영감이 떠오르지 않아서, 어떤 날은 글을 잘 쓰는 사람이 너무 많아 소심해져서, 어떤 날은 청탁도 없는데 이딴 걸 써서 뭐하나 하는 마음이 들어서, 어떤 날은 피곤해서, 어떤 날은 날이 좋아서, 어떤 날은 비가 와서, 그리고 어떤 날은 그냥 쓰지 않는다. 써야 할 이유는 잘 설명 못 하겠는데 쓰지 않을 이유는 끝이 없다.

　대부분의 세상일이 그렇듯 글쓰기도 관심과 지속을 먹고 자란다. 이 관심과 지속을 위해 나는 일부러라도 책방을 찾는다. 책방에 가면 왠지 글이 잘 써질 거 같은 설화를 나는 줄곧 믿고 있다. 그래서일까? 지난 몇 년간 다녀온 책방이 제법 많다. 물론 그 숫자만큼 글을 쓰지는 못했다. 그런데도 이 설화는 오늘도 열일 중이다.

　몇 주 전 인스타그램을 통해 집 근처에 「도심산책」이라는 책방이 오픈한다는 소식을 접했다. 매번 원거리로 원정하다시피 했는데 마침 근거리에 책방이 생긴다니 여간 반갑지 않았다. 도심산책, 도심에서 살아있는 책을 만날 수 있는 산책 공간. 책방 이름의 의미가 마음에 들었다. 덩달아 감성도 돋았다. 하지만 반가움이 행동으로 옮겨지기까지는 예열-침대에서 현관문까지의 거리를 한 번에 감행할 수 있는 단단한 마음-과 제반 상황의 뒷받침이 요구된다. 예열은 이미 끝났고 오픈 날이 마침 단축 근무 기간이라 직장동료에게 같이 가보지 않겠냐고 제안을 했다.

　"오늘 정시에 퇴근해서 요기(도심산책)를 가보려는데, 오픈 이벤트로 선물도 받고……"

"오, 딱 오늘 오픈이네요!"

"응, 그래서 가보려고. 생각 있음. 같이 갈려?"

"그럴까요?"

"그럼 세 시 정각이 되면 고고씽 하자고"

"네!"

　호기롭게 들어선 책방은 규모가 크지도 작지도 않았다. 한눈에 사방을 둘러볼 수 있어 딱 좋았다. 책장에 닿는 은은한 조명과 잔잔한 클래식 음악도 감미로웠다. 무엇보다 책방지기의 미소가 넉넉했다. 깃들어 글을 쓰기에 안성맞춤이었다. 앞으로 종종 와서 뭐라도 써야겠다는 생각을 하며 책방을 둘러보는데 《일간 이슬아 수필집》이 눈에 띄었다. 이슬아? 아, 요즘 핫한 MZ세대 작가! 이름은 익히 알고 있었는데 그녀의 책은 아직 읽어보지 못한 터였다. 일간? 매일매일 글을 써냈다는 건가? 헉, 매일매일 한 편의 글을 발행하고 그것을 책으로 엮었네. 대박! 놀라움에 평일 오후가 나른하고 열정적이다.

　이 우연한 조우는 지난 몇 주 동안 내 마음을 송두리째 빼앗아갔다. 책에서 본 것은 그녀의 화려함이 아니라 성실함이었다. 그것이 내 안의 무언가를 자꾸 건드렸다. "자발적으로 책상에 앉아 뭔가를 쓰는 이들. 남의 책들을 참고해가며 자기 문장을 쌓아가는 이들. 도대체 어째서일까. 잘 설명 못 하겠는데 나 역시 그랬다."(535쪽) 이슬아 작가의 진솔한 고백. 이 고백은 내 고백이기도 했다. 나도 잘 설명 못 하겠는데 책상에 앉아 생각을 굴리고 뭔가를 쓴다. 아무도 시키지 않았는데 지난 3년간 격주로 글쓰기 모임에 참여하며 뭐라도 썼다. 안 쓰는 것보다 낫다고 믿으며 무작정 써왔다.

자발적 동기에 의해 글쓰기 모임에 참여하고 있지만 늘 모임 시간이 임박해 시 한 편을 겨우겨우 지었다. 모임 시간이 임박해야 뭐라도 긁적이기 시작하는 게으른 영혼을 매번 꾸짖지만, 강도의 세기가 약한지 매번 실패다. 그에 반해 그녀는 어떠한가? 글 솜씨는 말할 것도 없고 하루하루 한 편의 글을 발행하는 성실함이라니. 그녀는 전업 작가니까 매일매일 글을 쓰는 게 당연하지! 스스로 위로해보지만 충분하지 않다. 불편하고 부럽다.

주변에서 좋아하는 일일수록 자주 실천하라고들 한다. 맞는 말이다. 맞는 말인데 이 말은 왠지 불편하다. 아마도 '자주'라는 단어가 주는 무게감 때문일 거다. 하지만 일상에서의, 쓰기에서의 루틴은 시작을 수월하게 만들어줄 거다. 자연스럽게 부담도 줄어들 거다. 그럴 거라 믿는다.

이전처럼 영감이 찾아오길 마냥 기다리기보다는 영

감을 담을 수 있는 루틴을 만들어 볼 일이다. 매일매일 뭔가를 읽고 무언가를 쓰다 보면 "딱히 들뜨지도 가라앉지도 않는 정서"(526쪽)를 유지하면서 오래 쓸 힘이 생기지 않을까? 쓰기 생활의 루틴에서 편안함을 느낄 수 있지 않을까?

시작도 못 해본 일처럼 지루한 것도 없다. 오늘도 빤한 일상에 일탈을 꿈꾼다.

이슬아, 《일간 이슬아》, 헤엄 출판사, 2018

민망하게 만들고 싶지 않은 마음

그날은 영 기분이 뒤숭숭했다. 점심시간을 이용해 대학 동기를 만나기로 한 날이었다. 지난 몇 주 전부터 거의 매일 통화만 하다가 어제 드디어 약속 시간을 잡았다.

"한봄아, 네 시간에 맞출게. 언제 시간 괜찮냐?"

"나야 뭐, 저녁 시간보다는 낮이 좋긴 한데……"

"그래? 그럼 점심시간에 볼까? 어차피 점심은 먹어야 하잖아!"

"그래, 12시까지 학교 남문으로 와. 학교 앞에 먹을 곳이 많지는 않지만……"

"밥이야 뭐, 거기서 거기지. 알았어. 내일 도착해서 연락할게!"

"오케이!"

다음날. 점심시간이 되기도 전에 동기에게서 문자가 왔다. '생각보다 일찍 도착했네. 학교 앞 ○○ 돈가스 집에서 기다릴게. 너 뭐 먹을래? 내가 미리 주문해놓을게!' 내 점심시간이 1시간밖에 되지 않으니 얼른 식사하고 본론으로 들어갈 심산이다. '일찍 도착했네. 난 카레 돈가스! 점심시간 땡 하자마자 갈게. 조금만 기다려.' 회신하고 업무 처리를 2~3개 정도 했는데도 점심시간은 아직 이다. 오늘따라 시간이 더디게 간다.

박준현. 오늘 만날 대학 동기다. 한동안 연락이 뜸하다가 참 오래간만에 연락이 닿았다. 몇 주 전에 연락이 와서는 다짜고짜 내가 가입한 보험을 분석해주겠다고 했다. 그는 보험설계사가 된 지 딱 한 달째였다. 차일피일 미루다가 개인정보 조회에 동의를 해줬고 오늘 그는 분석을 토대로 내게 보험 상품을 소개해줄 요량이다.

준현이는 평상시와 다르게 말쑥한 차림으로 가게 한편에 앉아 있었다. 정장에 넥타이까지 맨 모습을 본 건 그를 알고 지낸 이후로 거의 처음이었다. 나는 미소를 지으며 그를 맞이하려 했지만 어쩐지 힘이 나지 않았다. 나도 모르게 왼쪽 눈언저리가 어색하게 일그러졌다. 나는 내 신체적 변화를 준현이가 눈치채지는 않았을까 저어하며 그의 얼굴을 슬쩍 살폈다. 다행히 모르는 눈치다. 준현이는 여느 때보다 차분했다.

"왔냐?"
"응, 오느라 힘들진 않았고?"
"뚜벅이로 다니는 게 익숙해져서 뭐. 서울은 지하철이 잘 되어 있잖아."
"하하, 그렇긴 하지."
"그나저나 여기 나름 맛집인가 봐? 아까 주문을 했는데 배달이 밀렸다고 아직 이네."
"그래? 금방 나올 거야!"

우리는 주문한 메뉴가 나오길 기다렸다. 오래간만

에 만났으니 근황 토크가 우선이었다.

　"이제 사주는 안 보는 거야?"
　"보지. 사주카페도 계속 나가!"
　"하던 거 계속하지 갑자기 보험은 왜?"
　"사주를 보면 그 사람의 인생 주기가 보이거든. 보통 10년마다 흐름이 바뀌는데, 사주에 따라 어떤 시점부터 흐름이 좋아지거나 나빠지거든. 물론 너처럼 큰 문제가 없는 사주도 있고. 이걸 우리 같은 사람들이 미리 예견해주고 상담을 하거든. 근데 가만히 보니까 보험도 그렇더라고. 지금 잘 나간다고 해서 내일도 좋을 거라는 보장은 없잖아. 미래는 마음대로 컨트롤할 수 있는 게 아니니깐. 사주를 통해 그 사람의 길흉화복을 들여다보고 시기적절하게 보험설계를 해주면 좋겠다는 생각이 들더라고⋯⋯ 미래를 안전하게 대비하고 확보할 수 있도록 돕고 돈도 벌고. 북치고 장구 치고, 도랑 치고 가재 잡고. 그래서 시작하게 됐지 뭐."
　"아, 그렇구나!"

　나는 물을 한 모금 마시면서 카레 돈가스가 빨리 나오면 좋겠다고 생각했다.

　식사는 이내 나왔다. 식사하면서도 준현이는 줄곧

보험 관련 얘기를 쏟아냈다. 어떻게 한 달 만에 보험에 대해 저렇게 박학다식해질 수 있을까 싶을 정도였다. 한 테이블을 사이에 두고 그는 매우 열정적이고 나는 매우 건성이었다. 사실 나는 보험도 연금도 조금도 관심이 없었다. 이미 필요한 실비보험, 건강보험, 생명보험을 다 들어놓은 터였다. 몇 해 전 대학 선배의 간곡한 부탁으로 무리해서 매달 20만 원씩 변액연금도 넣고 있는데 수익률은 계속 마이너스였다. 해지하고 싶은 마음이 굴뚝같았지만, 원금손실이 컸다. 무엇보다 선배와의 관계가 틀어질까 봐 마음이 쓰여 울며 겨자 먹기로 매달 붓고 있었다.

식사를 마치고 빈 접시를 사이에 두고 준현이는 본격적으로 보험 상품을 소개했다. 나는 그의 설명을 듣는 둥 마는 둥 했다. 이미 마음을 정하고 나온 자리였다.

"이 상품 어때?"
"생각해볼게."
"너한테 딱 맞을 거 같은데……"
"미안한데, 지금은 여유가 좀 없네. 매달 고정적으로 나가는 돈도 있고 애들한테 들어가는 학원비랑 부식비도 만만치 않고. 너도 알다시피 내가 계약직에서 이제 막 무기 계약직 됐잖아. 정규직 되면 무조건 들게!"

"아, 그래도 한 번 더 생각해봐. 이런 상품 다른 데는 없다!"

"하하, 알았어, 알았어. 아내랑 상의해볼게!"

약간의 침묵이 흘렀다. 그는 미래에 대해 나는 현재에 대해 무미건조한 이야기가 더 오갔다. 오늘따라 이상하리만큼 시간이 더디게 간다.

오늘 점심은 그가 한사코 사겠다고 했다.

"이렇게 먼 곳까지 왔는데 그럴 수는 없지!"

점심값을 계산하는데 어떤 고마움과 미안함과 짜증스러움과 짠함이 한데 섞여 올라왔다. 오늘 그가 추천해준 상품을 들어주지 못하는 대신, 이 밥값으로라도 대신하고 싶었다. 무엇보다 그를 민망하게 하고 싶지 않았다.

《어쩌다 일간 한봄일춘》 연재를 계획하면서 몇몇 글쓰기를 업으로 하거나 그러길 희망하는 지인들과 얘기를 나눴다. 어떤 지인은 "《일간 이슬아》의 아류 아니야?" 의구심을 표출했고, '마감'의 무게를 겪어본 어떤 지인은 "할 수 있겠어? 왜 사서 고생을 하려고 해. 그렇게 수명을 단축하고 싶어!" 걱정 반 우려 반이다. 하지만 나는 그들의 의구심, 걱정, 우려를 뒤로하고 '사서 고생 프로젝트'에 도전을 해보고 싶었다. 그녀는 되고, 나는 안 될 이유가 어디 있는가? 그녀와 비교하면 필력은 현저히 떨어지지만 "루틴이"의 삶을 살아낼 수 있다는 근거 없는 자신감은 있었다. "이 연재 계획은 모방이나 아류가 아닌 글쓰기에 대한 나의 진심이며 고유한 창작과정이 될 거야!" 지인들에게 희떱게 씨불이며 우쭐대기는 했지만, 이 계획은 지난 한 달째 보류 중이다.

새해를 맞아 《어쩌다 일간 한봄일춘》 연재 계획은 세웠지만, 행동으로 옮기지 못한 이유를 더듬어보았다. 수년 전 보험 가입을 사이에 두고 준현과 실랑이를 벌이던 나와 그 감정의 파편들이 문득 떠올랐다. 그 장면이, 그 감정들이 나를 주저하게 했구나! 어떤 고마움과 미안함과 짜증스러움과 짠함이 나를 붙잡고 있었구나! 불필요한 것의 필요를 집요하게 강요하려는 나를 발견했다. 호언장담은 했지만, 하루에 한 편씩 글을 쓰는 것도 만만치 않을 터. 생각에 생각이 얹히고 또 얹히다 보니 속만 새까맣게 타들어 갔다. 그렇게 한 달이라는 시간을 갈팡질팡 헤맸다.

애면글면 용기를 내어서 구독과 관련하여 대학 동기들로 이루어진 단톡방에 카톡을 보냈다.

'《어쩌다 일간 한봄일춘》을 연재하려고 하는데 구독할 사람?'

'어디에? 유튜브?'

'아니, 구독하면 e-mail로 보내줄 예정'

'일간? 매일 보낸다고. 할 수 있겠어?'

'응, 한번 해보려고. 올해 해내고 싶은 일 중 하나라. 한 달에 20편. 주말은 쉬고. 에세이, 시, 단편소설로 생각 중. 구독료 겸 격려금으로 월 1만 원'

'내용이 뭐냐? 구독 경제로 넘어가는 거야?'

'넌 구독하는 거야?'

'알면서, 잠깐 기다려봐. 아내에게 상신 중'

나와 우리는 어색하고 민망한 마음을 조금이나마 줄여볼 생각으로 카톡 끝에 'ㅎㅎ'를 덧붙였다. 구독을 사이에 두고 카톡 메시지를 주고받으며 그들의 마음을 더듬어본다. 아마도 대부분의 중년 남성들이 그렇듯 그들도 글쓰기에, 책에, 《어쩌다 일간 한봄일춘》에 관심이 없을 것이다. 우리의 관심을 필요로 하는 것들이 넘쳐나는 나이가 아닌가? 그런데도 내가 내민 제안을 단칼에 거절할 용기가 없었을 것이다. 내가 그러하듯 그들도 그동안 쌓아온 관계를 망치거나 나를 민망하게 만들고 싶지 않을 거다.

《어쩌다 일간 한봄일춘》이 프로젝트로 기대를 저 버리거나 민망한 마음이 들지 않게 하려면 어떻게 해 야 할까? 어쩌면 답은 간단할지도 모르겠다. 월 1만 원의 구독료가 아깝지 않다는 생각을 들게 하면 되지 않을까? "읽는 이가 돈과 시간을 들일만 한 것을 쓰 고 싶어서 매일 저녁 하얀색 화면을 마주하고 두려움 을 느끼"(534쪽)는 이슬아가 나도 되면 된다. 그녀의 진솔한 고백에 없던 자신감이 갑자기 생겨나지는 않 지만 먼저 이 길을 걸어본 선배가 있어 다행이다. 그 것만으로도 힘이 된다.

어떤 일이든 늘 최선을 다해야 한다면 얼마나 힘들 까? 글쓰기에 관해 나는 아직 최선을 다해보지 않았 다. 퍽 다행이다.

이슬아, 《일간 이슬아》, 헤엄 출판사, 2018

단 한 번도 생각해 본 적 없는

인생은 드라마다. 셰익스피어는 자신의 희곡 《뜻대로 하세요. As you like it》에서 "온 세상은 무대이고, 모든 여자와 남자는 배우일 뿐이다. 그들은 등장했다가 퇴장한다. 어떤 이는 일생 7막에 걸쳐 여러 역을 연기한다."라고 말했다. 그는 인생을 연극(드라마)에 비유했다. 그의 말마따나 한 사람의 삶을 전체적으로 보면 인생은 한 편의 드라마다.

인생은 드라마가 아니다. 인생은 드라마와 달리 통제와 계산이 쉽지 않다. 아니 불가능하다. 인생은 무한 변수의 이합집산이다. 드라마의 인과관계처럼 명징明徵하지 않다. 이 행동이 이 결과를, 저 행동이 저 결과를 만들어내지 않는다. 인생은 나의 의지와 내가 통제할 수 없는 수많은 변수로 얽히고설켜 있다. 수많은 경우의 수가 수시로 갈등과 충돌을 하고 그 결과 값으로 내가 있고 지금을 살아가고 있다. 인생은 느닷없는 사건과 예상치 못한 일들의 연속이다.

사실 드라마 속의 이야기는 뭐 대수로울 것도 없다. 말 그대로 드라마의 이야기일 뿐이다. 어떤 이야기는 너무 통속적이고 어떤 이야기는 결말이 너무 뻔하고 어떤 이야기는 허무맹랑하기까지 하다. 하지만 조금만 관심을 가지고 들여다보면 그 드라마 속의 주인공이 다름 아닌 나이고 그들의 이야기인 동시에 나의 이야기다. 드라마는 드라마일 뿐이지만 때때로 내 인생의 드라마를 불러오기도 한다.

《미생》의 200% 공감의 지독한 사실주의가, 《눈이 부시게》의 대단하지 않은 날들의 대단함이, 《옷소매 붉은 끝동》의 애절한 로맨스가 주는 달콤함이, 《그해 우리는》의 말랑거리는 로맨스가, 《스물다섯 스물하나》의 90년대 말의 첫사랑이, 《서른, 아홉》의 우정과 삶에 대한 깊이 있는 이야기가 나의 이야기와 맞닿아 있다.

장르 불문하고 드라마의 인물들이 살아가는 모습을 통해 나는 나를 톺아본다. 서사에 앞서 등장인물의 감정을 읽으며 나를 마주하고 나를 둘러싼 인간관계를 돌아본다. 드라마 속 인물 간의 갈등과 충돌 그리고 그 선택에 따른 결과를 통해 나는 나의 인간관계를 요리조리 따져 보고 시뮬레이션 해본다.

나이를 먹어갈수록 마음의 소리를 입 밖으로 내뱉기가 점점 쉽지 않다. 아무리 친한 사이라고 해도 부담스럽다. 내 현재 상황-아픔과 고통은 물론이고 기쁨과 즐거움-에 대해 가까운 친구도 심지어 가족도 잘 모르는 경우가 많다. 기댈 곳 없어 불안했던 하루를, 막연하지만 위로가 되어줄, 내 속내를 함부로 밖으로 드러낼 수 있는 사람이 그립고 그립다. 다행스럽게도 드라마는 직접 얘기하지 않아도 이런 내 요란

함을 묵묵히 받아준다. 요즘 수목드라마 《서른, 아홉》
이 그렇다.

　지하철 플랫폼 이쪽과 저쪽에서 췌장암 4기인 시한
부 정찬영과 그녀를 마주 보고 있는 차미조의 모습에
서, 현재 겪고 있는 아픔과 고통을 나누는 대사에서,

　찬영: "미조야! 나 겁나, 무서워!"
　미조: "나도"

　울컥하고 위로를 받는다.

　"겨우, 겨우 서른아홉이었다. 우리가 서로의 생과
사에 깊은 괴로움을 만나기엔 채 여물지 않은 겨우
서른 끝자락이었다." 미조의 내레이션에 마음이 무너
진다. 그리고 다행이라고 생각한다. 단 한 번도 생각
해 본 적 없는, 내게 아직은 일어나지 않은 친구의
죽음에 감사한다. 내가 시한부가 아님에 감사한다. 그
리고 또 생각한다. 내가 차미조라면? 찬영이를 위해
내가 할 수 있는 건? 도대체 뭐라고 위로의 말을 전
해야 할까? 내가 정찬영이라면? 내가 시한부 선고를
받는다면? 남은 이들에게 뭘 해주고 가야 할까?
　가슴 뭉클한 플랫폼의 장면과 미조의 내레이션은
오랫동안 곁에 두고 펼쳐볼 만큼의 묵직함을 준다.

그리고 묻는다. 내게도 차미조같은 친구가 있을까? 나는 내 친구에게 차미조가 되어줄 수 있을까? 나는 과연 어떤 사람일까……

　어느 날 문득 마주하게 된 단 한 번도 생각해 본 적 없는 차미조와 정찬영의 two-shot이, 대사가 가슴을 후벼 판다. 그리고 위로한다. 예사롭게 살아가라고……

책장이몽 異夢

어김없이 목요일이 돌아왔다. 오늘이 목요일이라는 자각과 함께 몸이 바짝 긴장한다. 오늘도 아내에게 걸리지 않고 무사히 집을 빠져나가야 한다. 침대에서 조심조심 일어나 아내의 동태를 살핀다. 예사롭게 아내는 아이들 아침 식사를 챙기느라 분주하다. 아내는 아침 사과가 몸에 좋다는 설화에 기대어 사과를 씻는 중이다. 아이들에게 껍질 채 먹일 요량으로 사과 겉면을 흐르는 물에 박박 문질러 닦고 있다.

아침 식사 준비로 분주한 아내의 시선을 피해 욕실로 향했다. 지금부터는 속전속결이다. 머리를 감고 말리다가 아내에게 들키면 큰일이다. 어제 머리를 미리 감고 잔 터라 머리에 물을 묻혀 간단히 정리만 하면 된다. 빠르게 세수를 하고 양치를 하고 옷을 갈아입었다. 서류 가방을 들고 방문을 나서자 거실에서 등교 준비를 하던 아들 녀석이 눈짓으로 '엄마는 부엌!'이라고 알려준다. 이제 마지막 관문만 남았다. 까치발로 중문을 열고 나가려는 찰나, 아내가 나를 부른다. 이럴 때보면 아내는 등에도 눈이 달린 거 같다.

"여보~~~"

"……"

"여보, 알지?"

"응, 뭘?"

"오늘 목요일이잖아!"

"아, 오늘이 목요일이야? 벌써 그렇게 됐나? 목요일이 왜 이렇게 자주 오냐?"

"무슨 말도 안 되는 소리야. 아무튼, 내가 무슨 말 하려는지 알지?"

"그럼 알지. 그런데……"

"여보!!! 그 그런데가 벌써 몇 달째인 줄 알아?"

"……"

"오늘은 제발 부탁 좀 할게. 플리즈~~~!"

"알았어. 퇴근하고 와서 할게!"

"아니, 나가는 길에 조금이라도 가지고 나가면 안 될까?"

"오늘 아침부터 회의라, 퇴근하고 와서 할게!"

"정말이야? 이 꼭두새벽부터 회의한다고? 이상하게 매주 목요일 아침마다 회의하더라."

"그러게 말이야. 여하튼 이따 퇴근하고 와서 정리할게. 나 간다!"

"오늘은 꼭 해야 해! 부탁해!"

"……"

"알았지?"

"응!"

아이들 새 학기 시작 두 달 전부터 매주 목요일마다 아내와의 실랑이가 반복되고 있다. 지칠 법도 한데 아내는 그 어느 때보다 집요하다. 이번만큼은 양보할 수 없다는 기세다. 이에 질세라 나도 한 치의 양보도 할 수 없다. 아니 하고 싶지 않은 마음이 크다. 이런 우리 부부의 사정을 아는지 모르는지 목요일은 너무 빨리 찾아왔다.

매주 목요일은 우리 아파트 단지 분리수거를 하는 날이다. 여느 집들처럼 우리 집도 분리수거에 진심이다. 깨끗한 지구를 우리 아이들에게 물려줘야 한다는 생각에 나도 아내도 한마음이다. 우리 부부는 무엇보다 플라스틱 재활용품에 신경을 많이 쓰며 분리배출을 하고 있다.

무색투명한 페트병과 음료수 페트병은 내용물을 깨끗이 비우고 비닐 라벨을 제거한 뒤 눌러 붙인 후 뚜껑을 닫아 버린다. 투명 페트병에서 장섬유를 뽑아낼 수 있어 옷, 가방, 신발 등에 사용되는 다양한 형태의 섬유를 만들 수 있다는 말에 더 신경을 써서 배출한다. 일회용 컵, 트레이, 계란판, 과일 투명 포장 용기 등은 일반 플라스틱류로 배출한다. 색이 입혀진 페트병이나 겉면에 글자가 인쇄된 투명 페트병은 분리배출 대상이 아니다 보니 될 수 있으면 구매하지 않는다.

우리 부부는 플라스틱 재활용품 분리배출에는 같은 마음으로 열과 성을 다하지만, 책장에 꽂혀있는 책들에 관한 생각은 달랐다. 나는 쓸모를 다해 처분을 기다리는 책이라 할지라도 배출도 나눔도 쉽지 않다. 반면 아내는 책장 대부분을 차지하고 있는 헌책들을 정리하고 싶어 한다. 나는 무한 관대하고 아내는 인색하다.

분리배출의 운명에 처해있는 책들은 나의 인간관계와 맞닿아있다. 송년인사와 새해인사를 할 때면 한동안 신상정보가 업데이트되지 않은 핸드폰 번호에 여간 신경이 쓰이지 않는다. 번호마다 사연이 있기 마련이다. 가끔 소식이 궁금한데도 연락 한 번 제대로 안 하고 지내는 A, 바쁘다는 핑계로 그리운 대로 그렇게 흘려보내고 있는 B, 업무상 연락을 주고받던 G, 옛 직장동료 P, Y 등등⋯⋯ 인연을 쉽사리 삭제할 수 없다 보니 번호 정리도 쉽지 않다. 나이에 정비례하게 안 쓰는 핸드폰 번호가 쌓이고 쌓인다.

예사롭게 손에 쥐고 읽던 책도 정리가 쉽지 않다. 학부 시절 몇 달을 동고동락했던 손때 묻은 연극 대본-《짝사랑도화원暗戀桃花源》, 《붉은 하늘紅色的天空》, 학창 시절의 열심을 대변하는 전공 서적-《고문관지古文觀止》, 《송사宋詞》, 《당시삼백수唐詩三百首》, 《원곡元曲》,《노신 전집魯迅全集》, 석사 논문을 쓰면서 자료로 활용하려고 베이징北京대학교의 도서관에서 몇 날 며칠을 직접 복사해서 만든 제본, 박물관에서 일하면서 중국 소수민족 혼례 조사를 위해 현지에서 어렵사리 구한 민속지民俗誌, 여기에 더해 어떤 이유로 사놓고 한 번도 펴보지 않은 책들로 집안 책장이 꽉 차도록 가득이다.

침대 머리맡에도 책이 한 무더기다.

"여보, 책장의 책도 책이지만 침대에 놓여있는 이 책들 좀 치워 줄 수 없을까?"

"계속 읽고 있는 책들이라 찾기 편하게 둔 거야!"

"아니, 이 책은 벌써 몇 달째야? 보긴 보는 거지?"

"그럼, 이 작가의 문장이 너무 좋아서 아껴서 조금 씩 조금씩 읽고 있다는……"

"여보, 이렇게 두면 지저분해 보이지는 않아?"

"나는 괜찮은데……"

"아니, 있는 책들 좀 정리하면 책장에 공간이 생길 거 아냐! 책장에 꽂아서 보면 안 될까?"

"금방 또 읽을 거라서. 이참에 책장을 하나 더 살 까?"

"여보~~~"

"하하하. 알았어, 알았어!"

아내에게 시원섭섭한 대답을 남기고 침대에 누워 혹시 모를 기회를 엿보며 집에 있는 책장을 속으로 세어본다. 침실에 하나, 침실 베란다에 하나, 거실에 넷, 서재에 둘. 총 8개다. 부족하다는 생각에 하나를 더 사면 어디에다 두면 좋을까 상상한다. 핸드폰으로 책장을 검색하면서 괜히 들뜬다.

내 옆에 누워있는 아내는 이렇게까지 얘기했으니 책장이 정리되겠지 생각한다. 정리된 책장에 아이들이 읽을 만한 책을 좀 더 사서 책꽂이에 꽂아둘 요량으로 중고등학생 추천도서와 교양서적을 검색한다. 아내는 아이들이 책 읽는 장면을 상상하며 왠지 뿌듯하다.

추억은 힘이 세다

시작은 2주 전이었다. 나는《사랑에 빠진 악마》의 수렁에 빠졌다. 이 불편하고 어색한 동거로 나는 시름시름 앓기 시작했다. 마감 시간이 다가올수록 내 안의 또 다른 악마가 속삭였다. '서평이고 뭐고 이 책을 끝까지 읽겠다는 어처구니없는 망상은 집어치워!' '서평, 까짓것 한 번 안 쓰면 어때!' '사람이 살다 보면 약속을 한 번쯤은 어길 수도 있지!' 악마가 아침저녁으로 왁자 떠든다. 화드득 떠든다. 미칠 지경이다.

머리맡에는 악마가 여전히 놓여있다. 내 처분을 기다리며 잠잠하다. 그 조용한 자태에 흠칫 몸이 움츠러든다. 놀란 마음을 추스르며 나는 어느새 악마를 잡아끈다. "가책의 목소리가 내 가슴 깊숙한 곳에서 소리 없이 외치지만 않았다면, 나는 내 영혼이 소멸되었다고 믿어버렸을 것이다."(133쪽) 가책의 목소리와 다잡은 마음이 한데 뒤섞인다. 뫼비우스의 띠가 되어 내게 수시로 덤벼든다. 수시로 달려든다.

"내가 스물다섯 살이었을 때의 일이다."(9쪽) 첫 문장과 함께 다시 갈등 시작이다. 이어서 침묵. 침묵이 나를 다시 깊은 생각에 잠기도록 이끈다. 이 이끌림의 끝, 이번엔 끝까지 가보겠다는 마음이 새록새록 피어난다.

"나는 필연적으로 난처할 수밖에 없는 내 열정의 귀결들에 대하여 이 모험이 시작된 이래로 가장 슬픈 명상에 잠기기 시작했다."(107쪽) 책을 읽어 내려가는 동안 나의 마음 상태는 줄곧 이러했다. 사랑에 빠진 악마 비온데타를, 그 사랑을 주저하고 회피하는 알바로를 만났다. 아니 나를 만났다. 종교적 신념과 사랑 사이에서 갈팡질팡하던 스물다섯의 나를 만났다. 한 발자국도 앞으로 내디딜 수 없었던 답답하고 숨이 막히던 스물다섯의 사랑을 만났다.

　"불법적인 욕망이 합리적이고 이성적인 목소리로 가장하여 의식의 표면을 배회할수록, 그리고 그것이 점점 더 확고한 현실감을 주체에게 심어줌으로써 설득력을 얻을수록, 초자아는 역으로 더욱 광포한 폭력을 휘두르는 무시무시한 이미지를 띠게 되는 것 같다. (중략) 억압의 회귀는 곧 억압된 것의 회귀를 의미한다."(160쪽) 작품 해설이 압권이다. 비온데타와 알바로의 은밀한 속삭임은 리비도와 초자아의 경계에서 이러지도 저러지도 못했던 스물다섯 살의 내 모습의 다름 아니었구나! 억압의 회귀는 곧 억압된 것의 회귀였음을 몸소 체험했던 스물다섯의 나를 다시 마주하는 시간이 이토록 어색해 책장을 덮고 또 덮었구나! 책을 읽는 동안 나를 둘러싼 공기, 온도, 습도가 그토록 어색했던 이유가 결국 나였다. 스물다섯 살의 나였다.

"내가 스물다섯 살이었을 때의 일이다."(9쪽) 책장
첫 문장이 다시 내게 말을 걸어온다. 그리고 어떤 기
억을 소환한다. 선교사를 꿈꾸었던 스물다섯 살의 나
와 "오빠, 우리 다시 시작해요!"라고 당차게 고백하던
스물두 살의 앳된 소녀를 소환한다.

군 제대 후, 복학하고 얼마 지나지 않은 어느 봄날.
신입생 한 명이 나를 조심스럽게 불러 세웠다. 지난
학과 연합 MT 때, 나와 같은 조에 속했던 신입생이
었다.

"응, 무슨 일이야?"
"어, 다른 건 아니고요…… 오빠, 우리 사귈래요?"

강의실에 우리 둘뿐이어서였을까? 그녀는 고백에
거침이 없었다. 그 당찬 고백에 살짝 어이가 없었다.
고리타분한 남성우월주의자는 아니었지만, 여자가 남
자에게 먼저 고백할 수도 있구나! 신선함에 매료되어
그날로 우리의 1일이 시작됐다.
흔히 그러하듯이 "아침 이슬의 신선함과 향기를 머
금은 봄날의 새벽안개 사이로 떠오르는 첫 햇살"(41쪽)

같은 풋풋한 러브스토리는 오래지 않았다. 이유는 명확했다. 종교적 가치관이 달랐다. 일찌감치 선교사의 비전을 가지고 있던 나와 그녀는 많은 부분에서 달랐다. 우리의 감정은 진심이었지만 나의 종교적 신념이 우리 사이를 옥죄었다. 결국, 대학 2학년을 마치고 나는 선교사의 길을 가기 위해 유학길에 올랐고 우리의 이야기는 그렇게 일단락됐다. 그렇게 끝인 줄 알았다.

1년간의 대만 유학을 마치고 나는 복학했다. 더 확고해진 종교적 신념과 비전을 가슴에 품고. 하지만 그 확고함을 비웃기라도 하듯 우린 다시 한 강의실에서 만났다. 같은 3학년으로. 사라졌던 옛 감정들이 다시 스멀스멀 피어올랐다.

"오빠, 우리 다시 시작해요!" 첫 번째 고백보다 더 당당해진 두 번째 고백에 지난 1년 동안 견고하게 쌓아 올린 종교적 신념의 방벽이 한순간에 무너져 내렸다. 심지어 나는 우리 사이를 합리화하기 시작했다. 하나님의 뜻에 따라 우리가 다시 만났고 이렇게 다시 사랑을 속삭이게 되었노라고. 첫 선교지는 저 광활한 중국이 아닌, 내 앞에 서 있는 이 가녀린 여성이라고.

"오, 어머니! 안타깝게도, 저는 가장 거역하기 힘든 열정의 포로가 되었어요! 이젠 저 스스로 그것을 제어하는 것이 불가능해졌어요. 아, 저의 가슴에 대고 말씀해주세요. 제가 그 열정을 내쫓아야만 하는지를……"(서문) 사랑에 빠지지 않는 한 사랑은 없다. 사랑은 열정에 충실하기만 하면 된다는 점에서 가없이 쉽지만 내 신념을 내려놓아야 한다는 점에서 가없이 어려웠다. 소명이 아직 충분히 결정되지 않았음에도 그 방벽의 견고함 앞에 나의 열정은, 진심은 보잘것없었다. 나는 그녀에게 내 진심을 제대로 전하지도 못한 채, 그렇게 스물다섯의 사랑을 떠나보내야 했다.

그로부터 꼬박 1년이 지난 시월의 어느 날. 운명의 장난처럼 밴쿠버 다운타운의 어느 건널목에서 그녀를 마주쳤다. 5m 정도의 거리를 두고서 나는 이편에 그녀는 저편에. 드라마에서나 볼법한 장면이 내 앞에 펼쳐졌다. 차량의 경적도, 길을 걷는 사람들도, 노란 벽돌 위의 비둘기도 모두 정지 장면이었다. 오직 나와 그녀만 살아 숨 쉬고 있었다. 나는 이편에서 그녀는 저편에서 서로를 응시하고서. 평소에는 짧게만 느껴지던 신호가 그날은 무척이나 길었다. 애면글면 신호가 바뀌고 우린 건널목을 건너기 시작했다. 뜨겁고도 강렬한 눈빛이 교차했다. 그 마주침은 긴장감과 동시에 설렘을 자극했다. 찰나의 눈 맞춤에 숨이 막힐 지경이었다. 하지만 그뿐이었다. 우린 서로 아무 말도 하지 않은 채 각자의 방향으로 건널목을 건넜다. 그게 다였다. 그날 우리를 둘러싼 공기, 온도, 습도가 무척이나 어색했다. 하늘은 파랗고 햇살은 노랗고 바람은 시렸다.

이어폰 너머 자우림의 「스물다섯, 스물하나」가 흐물흐물 거린다. 한마디 귀띔도 없이 아무렇지 않은 듯 돌아선 시간이 섭섭하다. 언어가 섭섭하다. 다시 오지 않을 시간에 더욱 슬프다. 무뎌진들 아프지 않은 것은 아니다. 사랑이 그렇다. 추억이 그렇다. 스물다섯의 내가 그렇다.

자크 카조트 지음/최애영 옮김, 《사랑에 빠진 악마》,
열림원, 2021

하나도 진심이 아닌 적이 없던

'안녕하세요. 작가님! 브런치를 통하여 작가님께 새로운 제안이 도착하였습니다.'

　가을이 하릴없이 깊어가고 마음은 흘근흘근 바람에 떨구는 토요일 오전. 브런치에서 메일이 한 통 도착했다. 뭐지? 기대 반 궁금증 반 메일을 열어보니, 브런치를 통해 글을 매개로 소통하고 있는 작가 한 명이 보낸 메일이었다. 메일 내용은 브런치의 글을 모아 책을 출간했다는 소식이었다. 책 제목이 《살아보니, 대만》이었다. 대만이라는 공통분모로 종종 소통했던 터라 나는 그녀에게 축하 인사를 전했다. 얼마 지나지 않아 작가로부터 책을 선물 받았다. 그렇지 않아도 내용이 궁금했는데, 바로 책을 펼쳤다.

"삶은 누구에게나 녹록하지 않고, 때론 숨만 쉬고 살아가도 짐이 된다. 낯선 곳에서는 그나마 숨도 잘 안 쉬어진다. 덥고 습한 날씨에 침대가 위아래로 들썩이며 몸을 흔들어대는 6.8 규모의 지진이나, 간판을 종잇장처럼 날려버리는 태풍도 겪었다. 두려웠다. 자연환경의 차이가 삶에 어떠한 영향을 끼치는지를 미처 몰랐던 스스로를 탓하는 수밖에 없었다."(12쪽)

책 머리말의 이 한 문단만으로 작가가 보낸 대만에서의 4년을 짐작하고도 남았다. 짐작을 넘어 십분 공감이 됐다. 나도 어학연수로, 석사과정을 밟기 위해 대만에서 유학한 경험이 있다 보니 이 문단의 깊이가, 삶의 처절함이 어떤 것이었을지 이해하고도 남았다.

같은 경험을 했다는 것은 소통의 다름 아니다. 물론 공통의 경험이 공감의 전제 조건은 아닐 수 있다.

하지만 대만에서 일정 기간 이상 체류한 경험이 있는 이들이라면 이 몇 문장이 갖는 삶의 밀도를 충분히 공감하리라 믿는다.

내가 살았던 대만(1999년~2000년, 2002년~2004년)과 저자가 살았던 대만(2015년~2019년)은 바뀐 게 많지 않았다. 나는 타이베이台北에서, 저자는 까오시옹高雄에서 생활했지만, 대만은 그대로였다. 다행이었다. 바뀌지 않았다는 사실만으로 나를 안심시킨다.

책장을 넘기면 넘길수록 시간이 거꾸로 간다. 시간의 역순으로 장면 장면이 떠오른다. 초점이 맞지 않은 예류野柳 사진 속에, 눈을 감아버린 국립고궁박물원國立故宮博物院 사진 속에, 그 시간이 붙박여 있다.

1999년 4월의 어느 날 오후 타오위안桃園 국제공항의 덥고 습한 향신료 특유의 비릿한 냄새가, 향수병에 마음이 울적할 때면 마시던 전주나이차珍珠奶茶가, 처음 만나는 사람과도 술 한 잔 기울일 수 있을 거 같은 스린야시장士林夜市이, 영화《그 시절, 우리가 좋아했던 소녀》에도 묘사되었던 921대지진九二一大地震을 겪으며 황망했던 감정들이, 타이베이 근교의 우라이烏來 온천을 갔다 오는 길에 마주했던 성난 표범처럼 휘몰아치던 폭풍우가 펼쳐진다.

누구에게라도 그렇듯 진심이었던 시절 왓슨스屈臣氏

앞에서 여자 친구를 기다리던 나를, 한겨울 전기장판이 없어 헤어드라이어로 이불속을 데우던 나를, 세븐 7-Eleven便利店의 영수증 복권을 목숨 걸고 사수하던 나를, 샤워하다 벽호壁虎에 기겁하던 나를, 베토벤의 "엘리제를 위하여" 멜로디가 들리면 만사 제쳐놓고 쓰레기를 담은 봉투를 들고 나가던 나를, 두리안榴莲 맛에 매료되어 두리안을 냉동실 그득 채우던 나를, 점심시간이면 학교 앞 갈비대왕排骨大王 식당에서 갈비덮밥排骨饭과 가정에서 직접 만든 도시락便当을 사먹으며 허기를 달래던 나를, 저녁 시간에 아내와 사대로师大路의 태국 쌀국수집에서 데이트하며 먹던 70타이삐台币(한화 2,800원 정도)의 팟타이가, 새해 타이베이 101台北国际金融中心의 불꽃을 보며 아내와의 사랑이 영원하길 두 손 모아 기도하던 젊은 시절의 나를 만난다.

대단하지 않았다고 생각했던 그 기억들이, 순간들이 이토록 오래도록 내 머릿속에 남아 있었다니. 어쩌면 대만이, 그것들이, 그 순간들이 내 삶에서 진짜 대단한 일들이 아니었을까? 시끄러웠던, 사람 냄새가 가득했던, 노포老铺들이 즐비했던 거리거리가, 아내와 함께했던 시간 시간이 오롯이 내 앞에 펼쳐진다. 대만이 펼쳐진다.

《살아보니 대만》을 읽다 보니 대만이다. 하나도 진심이 아닌 적이 없던 젊은 시절의 나를 만난다. 그리고 중년의 나에게 안부를 묻는다. 오늘은 왠지 시끄러웠던 일들을 쏟아내도 될 것만 같다. 그래도 될 거 같다.

조영미, 《살아보니, 대만》, 산지니, 2021

희망고문

이렇게, 걷는 것이 정답이라 믿었지
안으로 삼키고 또 삼켜 낸 소리가
조금씩 새어 나오니, 여백이 다했다

그 말을 아껴서 그림자를 만들고
그 안에 덩그러니 한 걸음 뒤처진 채
그렇게, 혼자 있어도 얄궂게도 좋구나!

다른 길 걸었어도 아픈 건 닮았겠지?
닿을 수 없음에도 손 내미는 염치없음
수차례 정규직 도전, 지하철 와이파이

지하철 와이파이처럼 마음이, 희망이 수시로 온·오프 된다. 너도나도 애면글면 애쓰고 있으니 접속이 쉽지 않을 터. 오늘도 허위허위 마음을 다잡는다.

작은
욕심

덜
두려운 것을 선택하는 삶이,
지루하다

뭘 선택하든,
뭘 하든
나답게 하고 싶다

하루 평균 몇 번이나 선택의 갈림길에 설까? 보통 사람이 하루에 의식적으로 인식하는 선택의 횟수는 평균 15회라고 한다. 이 말은 의식하지 않고 선택되는 것들이 이보다 더 많다는 얘기일 거다. 이를 반증이라도 하듯 한 연구 결과에 따르면, 내남없이 하루 평균 1,000회 남짓의 선택을 한다고 한다.

아침에 일어나서 잠자리에 들기까지 무수히 많은 선택을 어찌어찌하고 살아가고 있는 셈이다.

알람 소리에 일어날지 말지, 아침은 먹을지 말지, 먹는다면 무엇을 먹을지, 토스트를 먹을지, 어제 먹던 반찬에 먹을지, 밥 먹고 설거지를 할지, 퇴근하고 와서 할지, 대중교통으로 출근할지, 자차로 할지, 심지어 오늘 출근을 할지 말지도 선택사항이다. 특별한 이유가 없는 한, 그 선택을 심상하게 습관적으로 해오고 있을 뿐이다.

결국 내 하루는, 내 한 달은, 내 삶은, 선택의 연속이다. 그렇다면 이 선택들을 나는 어떻게 하는 걸까? 어떤 이유로, 어떤 방식으로, 어떻게….

4부

안녕、 일상의 중력

나는 새 아내와 산다

"여보세요?"

　핸드폰 너머로 들려오는 아내 목소리. 이상하다. 분명 엄마한테 전화했는데. "미안, 전화 잘 못 걸었나봐. 엄마한테 한다는 게." 아내는 내 얘길 다 듣기도 전에, "나 깨우려고 일부러 전화한 거지!" 한다. 억울하다. 엄마한테 안부 전화를 한다는 게 무의식적으로 아내에게 전화했을 뿐인데. 나는 애교 섞인 목소리로 항변을 하고 이내 전화를 끊었다. 전화를 끊으며 문득 파고든 질문 하나. 아내는 나에게 어떤 사람일까? 내게 아내의 존재 의미는 뭘까? 출근길 생각에 잠긴다.

　2002년 월드컵은 온 국민을 하나 되게 했다. 그 열기에 편승해 나와 아내도 하나 되는 환상을 꿈꿨다. 나는 결혼이 우리 사랑의 종착역이라 여겼다. 내비게이션이 가장 빠른 길로 목적지를 안내해주듯 나는 결혼생활에도 내비게이션을 장착할 수 있을 거라 자신했다. 하지만 이 신념은 오래지 않아 착각이었음을 알게 됐다.

　결혼생활은 내가 제대로 가본 적 없는 길의 연속이었다. 큰길인 줄 알고 들어섰는데 좁은 골목길이었고 어디론가 연결되겠거니 했는데 막다른 길이었다. 여러 갈래로 나뉜 산지사방 길목에서 머뭇머뭇하고 갔던 길을 되돌아오기를 수차례였다. 때때로 길을 잃어 조바심도 났다. 끊임없는 인내의 터널을 통과하라 강요당했다. 결혼과 동시에 가보지 않은 길을 그렇게 줄달음질치다 보니 20년이 가뭇없이 사라져 버렸다.

20년. 마냥 좋기만 하거나 그저 나쁘기만 하지는 않았다. 아내를 좋아하면서도 싫어하는 양가감정이 롤러코스터를 탔다. 어떤 날은 뒤통수도 보기 싫은 날이 있었고 어떤 날은 목소리라도 듣고 싶은 날이 있었다. 어떤 날은 전생에 무슨 죄를 지어서 저 인간이랑 사나 그런 생각을 하기도 하고 어떤 날은 안쓰러운 마음에 아내 몰래 눈물을 흘리기도 했다.

사랑하는 사이라고 해서 그 안에 사랑만 있지는 않다. 사랑만으로 관계가 이루어지는 것도 아니다. 아이러니하게도 갈등의 중심에 설 때, 우리 관계가 더 넉넉해지고 풍성해졌다. 부부관계도 대부분의 인간관계와 맞닿아있다. 갓 구워낸 버터 향 가득한 빵처럼 따뜻함과 신선함을 유지하려면 그에 걸맞은 노력이 수반되어야 했다.

코로나 팬데믹 이후 평범하다 여긴 일상도, 늘 곁에 있을 것 같던 사람도, 오늘 다음에 내일이 올 거라 여겼던 믿음도 더는 작동하지 않았다. 삶에 대해 새로운 태도가 요구되었다. 언택트(untact 비대면) 시대를 거치면서 나는 자연스럽게 아내와 많은 시간을 보내게 되었다. 예전에는 아내는 아내대로 볼일을 보고 나는 나대로 내 일을 하다 보면 얼굴 맞대고 이야기할 시간이 없었다. 하루 10분 남짓 정도가 전부였다.

요즘은 이른 저녁을 먹고 산책로를 걸으며 최소 1시간 이상 아내와 대화를 한다. 아토피로 고생하고 있는 딸내미의 이야기부터 아들내미 태권도 도장 이야기, 이번 아버지 생신에 어떤 음식을 장만할지, 앞으로 노후설계를 어떻게 할지까지 다양한 소재가 이야깃거리가 된다. 그동안 하고 싶었던 이야기를 어떻게 참고 살았을까 싶을 정도로 아내는 쉬지 않고 조잘댄다. 그런 아내가 사뭇 곰상스럽고 사랑스럽다. 산책하며 새로운 아내를 만난다.

아내는 따뜻한 사람이다. 정서적으로 안정적이며 차분하다. 어떤 결정을 내려야 할 때, 사람 중심의 가치에 따라 의사결정을 한다. 이런 성격의 아내는 내 장점을 주로 봐준다. 내 찧고 까부는 감정 변화도 잘 읽어주고 진국스러운 응원의 말도 아끼지 않는다. 정직을 삶의 지표로 삼고 있어 거짓말도 잘 못 한다. 물질적으로도 욕심이 별로 없다. 그런 아내가 욕심을 내는 것이 있다. 관심이다. 내 마음만 주면 된다. 아내의 이야기를 들을 귀만 준비하면 된다.

'된장 신 것은 1년 원수요. 아내 못된 건 평생 원수다'는 속담이 있다. 아내의 역할이 한 가정에서 얼마나 중요한지를 표현한 말이다. 된장 등 다른 것들은 대체할 수 있지만, 아내는 대체 불가하다. 한 번 잘못 만나면 일생을 그르칠 수도 있다. 아내는 일생의 반려자로 내 생각과 행동에 중대한 영향을 주고 있다. 나는 결코 독립적인 개체일 수 없다. 아내는 내게 그런 존재다.

지난 몇 년간의 코로나 사태는 조급하게 살지 않아도 된다는 것을, 소중한 아내에게 좀 더 집중하라고 얘기하는 거 같다. 코로나는 아직 종식 전이지만 어떤 힘겨움이 있었는지도 잊고 살만큼 이젠 바쁜 일상으로 돌아왔다. 이전의 힘든 것들이 오늘을 위한 것이었음도 알게 되었다. 이 변함없는 사실과 함께 코로나19는 나에게 새 아내를 만나게 해준 소중한 기억으로 자리 잡았다.

오늘도 저녁 식사를 마치고 아내와 함께 산책을 한다. 산책로를 걸으며 담소를 나눈다. 가끔 한눈을 흘금흘금 팔아 이야기가 끊긴다. 침묵 사이사이 여름이 깊어간다.

자장면, 22세기에는 없다

'딩동딩동'

현관문 초인종 벨 소리에 평상시와 다르게 아들 녀석이 호들갑이다.

"왔다! 엄마, 자장면! 엄마~~~"

아내는 아들의 성화에 벌써 현관문 앞이다. 아내가 값을 치르는 동안 자장면, 짬뽕, 탕수육이 담긴 플라스틱 용기가 순식간에 식탁으로 옮겨졌다. 아들 녀석은 오래간만에 먹을 자장면 생각에 일각이 여삼추다. 자장면 용기를 덮고 있는 랩을 휘뚜루 벗기고 내게 젓가락을 내민다. 나보고 비벼달라는 얘기다. 그렇게 자장면이 좋을까? 자장면을 맛깔스럽게 비벼 건네니 아귀아귀 먹기 시작한다. 아들은 자장면 한 그릇을 게 눈 감추듯 비워내고 내 짬뽕을 탐낸다. 갑자기 짬뽕 국물이 당긴다나 뭐라나. 아들내미 덕분에 일소—笑하며 다섯 식구는 저녁을 맛있게 해치웠다.

　저녁 식사 후, 나는 설거지 담당을 자처했다. 식사가 담겨있던 플라스틱 용기를 물에 휙휙 헹궈 재활용통에 집어넣으면 끝이니 안 할 이유가 없다. 설거지는 3분이 채 안 걸렸다. 얼마나 간편한 세상인지! 설거지까지 마치니 저녁 시간이 여유롭다. 아내가 타준 아이스커피 한잔을 들고 내 방에 들어와 소화도 시킬 겸 TV를 켰다. 마침 뉴스가 나오고 있다.

　"요즘 배달시켜 먹거나 포장해가는 사람들이 많아지면서 플라스틱 쓰레기도 다시 많아졌습니다. 이렇게 버려진 플라스틱은 재활용도 잘 안 되고 그대로 바다로 흘러갑니다."

뉴스 진행자의 차분한 목소리에 반해 뜨악한 내용이 이어졌다. 일상에서의 과다한 플라스틱 사용에 관한 사례가 송출됐다. 재활용되지 않은 플라스틱이 그대로 방치된 해안가와 해수욕장의 장면도 연이어 이어졌다. 모래사장에 해안선처럼 보이는 긴 줄은 자세히 보니 줄느런히 쌓여있는 플라스틱 쓰레기였다. 플라스틱 쓰레기의 재활용률이 절반 수준에 그치니 재활용되지 않은 플라스틱이 방치되어 바다로 유입된 것이었다.

세계에서 해마다 최대 1,400만 톤의 플라스틱 쓰레기가 바다로 흘러 들어가고 있다고 한다. 이대로라면 2050년에는 플라스틱 쓰레기의 수가 바다 속 물고기 수보다 더 많을 것이란 경고까지 심심찮게 나오고 있다. 수산물과 어류의 경우, 먹이활동을 통해서 체내로 미세 플라스틱이 들어가게 되고 대부분 플라스틱이 검출되고 있단다. 결국 이 쓰레기들이 우리 밥상으로 돌아오고 있는 구조다.

국내 배출 쓰레기 중 7~80%를 플라스틱이 차지한다고 한다. 쓰레기 문제는 곧 플라스틱 처리 문제가 아닐 수 없다. 한때 신의 선물로 주목받던 플라스틱은 이제 신의 저주로 전락하고 말았다. 우리 생태계를 위협하는 애물단지가 됐다.

플라스틱 쓰레기 폐해와 관련된 보도와 정보는 이

미 넘쳐난다. 이런 정보를 접할 때마다 막연한 불안감에 사로잡힌다. 쓰레기 배출을 최소화하기 위해 부단히 노력하고 있는데 도대체 저 많은 쓰레기는 어디서 나오는 걸까? 분리수거 의무화와 더불어 플라스틱 재활용품을 별도로 배출하고 있는데 이상할 따름이다. 나는 다른 집보다 플라스틱 쓰레기를 덜 배출하고 있다고 나름대로 위안을 삼고 있었는데 이런 위안이 무참히 무너지는 거 같아 속상하다.

매주 목요일은 우리 아파트 단지 재활용품 배출 날이다. 한 주 동안 재활용품을 줄이고 줄여도 2박스 정도 나온다. 내용물보다 포장이 몇 배나 더 큰 대한민국에 살다 보니 별수 없다. 우리나라가 2015년 기준 1인당 연간 플라스틱 소비량이 세계 3위라고 하니 가히 플라스틱 천국이라 하겠다. 우리 집에서 배출되는 플라스틱 재활용품은 시티로 폼, 비닐봉지, 요구르트병, 플라스틱 과일 상자, 각종 플라스틱 용기, 플라스틱 우유병, 청량음료병 등등 매주 대동소이하다. 다른 집도 별반 차이가 없다. 우리 집보다 조금 더 배출하고 있다는 느낌 말고는. 그렇게 온종일 분리 수거된 재활용품은 다음날이면 말끔히 사라진다.
산처럼 쌓였던 재활용품이 눈앞에서 사라지면 개운한 맛이 있다. 하지만 저런 방송이나 기사 내용을 접하면 도리어 불안감이 좀 더 확실해진다. 이 아파트

숲에서 배출된 엄청난 쓰레기를 받아들일 땅이 더는 없을 것만 같다. 게다가 이 배출된 쓰레기가 우리 아파트보다도 높게 쌓일 것만 같다는 염려가 날이 갈수록 커진다. 환경부 전수조사 결과, 전국의 쓰레기 산이 235곳에 달한다고 하니 이러한 나의 우려가 이미 현실이 되고 말았다. 내 눈앞에서 멀어졌던 플라스틱 쓰레기가 부메랑이 되어 재앙으로 되돌아오고 있다. 거주 불능으로 인해 22세기에는 아들내미가 그토록 좋아하는 자장면이 사라지지 않을까 하는 조바심이 난다.

부뚜막의 소금도 집어넣어야 짜다고 했던가? 내 탓이요! 하는 자기 위안적인 구호 말고 구체적인 실천이 절실히 필요하다. 그저 눈감지 않으려는 노력이 필요하다. 우리의 미래는 플라스틱 쓰레기 분리수거에 있다고 해도 이제 더는 과언이 아니다.

직접 바다 속에 들어가 쓰레기를 치우는 활동을 하는 한 스쿠버 다이버 부부의 말이 유독 귓가에 윙윙거리는 요즘이다.

"최소한 우리가 지나온 길은 바뀌잖아요!"

날이 개면 우산은 필요 없다

밤새 쏟아지던 비는 멈출 줄 모르고, 계속이다. 이번 출장에 우산은 필수품 중 하나다. 어떤 종류의 우산을 챙겨가야 하나 일기예보를 검색했다. '서울 오전 한때 비. 광주 맑음. 36도. 폭염경보' 일기예보는 광주에 도착하면 우산이 필요 없다고 알려준다. 하지만 당장 비가 오니 우산을 가지고 집을 나서야 했다. 내키의 반 정도 되는 장우산을 가지고 갈까? 간편한 휴대용 우산을 챙겨갈까? 고민이 되었다. 창밖을 내다보니 빗줄기가 제법이다. 더 이상의 고민은 의미가 없었다. 이번 출장에 지난 4년간 나와 동고동락했던 장우산과 동행하기로 했다.

탁월한 선택 덕분에 세찬 비를 피해 무사히 서울역에 도착했다. 나는 뽀송뽀송 부푼 마음으로 KTX에 몸을 실었다. KTX가 서울을 벗어나자마자 빗줄기는 온데간데없다. 한여름의 뜨거운 햇살만이 창을 뚫고 들이쳤다. 살을 에는 듯한 햇볕을 얇디얇은 가름막 커튼 하나로 막아내며 2시간여를 내달렸다.

아니나 다를까? 광주는 날이 쨍쨍하다 못해 눈이 부셨다. 온종일 달궈진 뜨거운 지열에 눈도 시렸다. 햇볕이 내리쬐는 광주 길거리에 우산을, 그것도 자기 키의 반이나 되는 장우산을 들고 다니는 사람은 나 하나뿐이었다. 비가 오는 날이었다면 그 위용을 마음껏 뽐냈을 내 장우산은 힘없이 내 팔에 매달려 나를 따라다녔다.

　다음 목적지로 가기 위해 버스를 기다리는 동안 쑥 덕공론과 나를 이상하게 쳐다보는 시선이 느껴졌다. 이런 날씨에 웬 우산이람? 그것도 장우산을, 날도 더운데 양산으로 쓰면 딱 맞겠는데 등등…… 뽀송뽀송한 마음이 순식간에 짓무르기 시작했다. 우산은 불필요한 존재를 넘어 천덕꾸러기로 전락했다. 사람들의 시선과 들고 다니기 불편함에 버스 안에 우산을 두고 내릴까? 가지고 내릴까? 한참을 고민했다.

　목적지에 도착해서 주위를 아무리 둘러봐도 우산을 들고 온 사람은 나 하나다. 괜히 조바심이 나기 시작했다. 급히 화장실에 들러 우산을 놓고 나왔다. 원래부터 우산 같은 거는 들고 오지 않은 것처럼. 자연스러운 행동과는 달리 마음은 편치 않았다. 그렇게, 우리는 남이 되었다.

　모든 일정을 마치고 화장실에 잠깐 들렀는데 내가 놓고 나온 우산이 그 자리 그대로 놓여있다. 볼일을 보면서 나도 모르게 힐끗힐끗 쳐다봤다. 왠지 안쓰러운 마음이 들었다. 화장실 주변을 한참 어슬렁어슬렁 배회하다 결국, 다시 들고 귀갓길에 올랐다.

초등학교 시절, 비가 자주 내렸다. 하교 시간 즈음에 비가 쏟아지곤 했다. 등교할 때는 상크름하던 날이 이상하게도 하교할 때 즈음 심술을 부렸다. 양쪽 볼에 심술보를 잔뜩 매단 먹구름이 한가득 몰려와 소낙비를 뿌렸다. 거세게 내리는 비를 피해 교실 밖 처마 밑에서 발을 동동 구르고 있으면 저 멀리 할아버지가 여분의 우산을 들고 나를 데리러 오곤 하셨다.

그렇게 할아버지 덕분에 비에 젖지 않고 무사히 귀가했다. 귀가하는 길에 할아버지가 사주셨던 자장면 맛은 기가 막혔다. 지금껏 숱한 자장면 맛집을 다녀봤지만, 그때 먹었던 자장면 맛은 두 번 다시 만나보지 못했다. 그 자장면 맛에 매료되어 하교 시간에 비가 내리길 은근히 바라기도 했다. 누군가 하늘에 회색 물감을 잔뜩 뿌려 놓은 아침 등굣길에는 할아버지에게 대놓고 요구를 했다.

"할아버지, 이따 비 오면 꼭 나 마중 와야 해"
"하하, 그러마. 이 할아비가 우리 강아지 데리러 가마."

비 오는 날 할아버지와의 비밀 데이트의 영향 때문이었을까? 나는 우산 챙기는데 게으르다. 우산을 챙기고 나오지 않은 날이면 갑작스럽게 쏟아져 내리는 비 때문에 종종 편의점이나 길에서 우산을 산다. 비를 피하겠다는 마음이 앞서 우산의 품질도 가격도 묻지도 따지지도 않는다. 그래서일까? 대게 이때 구매하는 우산은 대부분 품질이 떨어지거나 가격이 비쌌다. 신기한 건 그렇게 급하게 구매한 우산은 음식점에, 지하철에, 택시 등에 두고 오곤 한다. 왜인지는 모르겠으나 급하게 산 우산은 잘 잃어버렸다.

오늘처럼 비 갠 날에는 가끔 우산을 일부러 놓고 오곤 한다. 쓸모를 다했으니, 휴대하고 다니기 불편하니, 더 좋은 게 아직 있으니, 누군가 필요할지도 모르니 등등 말도 안 되는 이유를 늘어놓으며 화장실에, 지하철에, 식당에 놓고 온다. 가끔은 이런 생각에 건망증이 더해져 의도치 않게 두고 오기도 한다.

이번 출장에 함께한 장우산. 나의 필요 때문에 함께했지만, 필요를 다한 지금 여간 성가신 존재가 아니다. 고만 적당한 거리를 두거나 "안녕!"하고 각자의 길을 가면 좋겠는데 여간 결정이 쉽지 않다. 그동안 함께한 추억과 더 잘 보관하지 못한 것에 대한 후회, 그리고 언젠가 다시 쓰임이 있을 거라는 기대하는 마음에 이러지도 저러지도 못한다.

기상청에 따르면 우리나라 전국을 기준으로 1년 중, 도깨비 쓸개만큼이라도 비나 눈이 오는 날이 270일 정도 된다고 한다. 1년의 4분의 3은 비나 눈이 온다는 얘기다. 통계적으로 화창한 날보다 비 오는 날이 더 많은 나라에 사는 셈이다. 우산이 필요한 날이 필요 없는 날보다 더 많다. 인간관계도 날씨와 맞닿아있다. 화창한 날보다 비 오는 날이 더 많다.

　우유부단한 내 마음이 마치 요즘 나의 인간관계와 닮아있다. 나는 필요의 유무와 정도에 따라 관계의 생명을 결정하는 직장동료들에게 자주 피로감을 느낀다. 그 피로감과 함께 그들과 좋았던 추억과 후회가 한데 섞여 관계가 점점 애매모호하다. 페르소나를 십분 발휘해도 작은 찰나에 표정, 시선, 눈빛, 몸짓으로 꼭꼭 숨겨둔 진심이 전해진다.

　오늘 아침에도 비가 내린다. 광주 출장에 동행했던 장우산이 나와 함께 출근 준비로 분주하다.

걷다 보면 어제보다 조금 더 큰 나를 만난다

시원한 바람 한 점이 아쉬운 여름 저녁에는 이른 저녁을 먹고 아파트 단지 사이 산책로를 걷는다. 산책로 옆으로 작은 개천이 하나 흐르는데 이 개천을 옆에 끼고 걸으면 바람을 만난다. 산책로 초입인데도 바람이 달다. 공기도 달다. 사각사각 바람 소리에 어느새 몸도 마음도 시원하다. 산책로 머리 위에는 반짝반짝 별이 빛나고 발아래에는 정감 넘치는 이야기와 음악이 흐른다. 산책로 옆, 풀과 꽃이 올망졸망 모여 앉아 저마다의 이야기로 옥시글옥시글하다. 풀숲 사이사이 귀뚜라미는 찌르르 찌르르, 나무 위 매미는 맴맴, 개울가 개구리는 개굴개굴 한데 어울려 한여름밤의 오케스트라 합주가 된다. 쉴 새 없는 이야기와 합주에 눈도, 귀도 즐겁게 걸을 수 있다. 시간과 공간이 어언지간於焉之間 새로운 환희로 고즈넉하다.

산책로는 아파트 단지 한가운데 있어서 접근성이 좋다. 지난 10년 넘게 내가 이곳에 터를 잡고 사는 이유 중 하나다. 산책로를 걷다 보면 평소보다 조금 빨라지는 심장 박동 소리와 두 다리 근육에서 전달되는 기분 좋은 뻐근함과 나른함을 맛본다. 등줄기를 타고 흘러내리는 땀방울에 온몸의 세포가 살아 있음도 확인한다. 끊임없이 떠도는 근심 걱정은 달빛에 맡긴 채 한가로이 걷다 보면 어느새 머릿속도 맑아진다.

걷기는 남녀노소 누구나 마음만 먹으면 할 수 있는 유산소 운동이다. 가장 단순하면서도 특별한 준비 없이 할 수 있다. 단순하고 특별한 준비도 필요 없지만 마음먹기는 여간 쉽지 않다. 걷기와 관련된 숱한 예찬, 명언, 의약서, 일상의 간증에도 불구하고 나는 바쁜 일상에 치여 엄두를 내지 못했다. 최소한 박물관에서 한 사수를 만나기 전까지.

박물관에서 연구원으로 근무할 때다. 당시 '중국 소수민족의 혼례'를 주제로 중국 출장을 자주 다녔다. 출장에 동행했던 사수는 어지간해서는 대중교통을 이용하지 않았다. 조사지 이곳저곳을 하루에도 몇 시간씩 걸어 다녔다. 할 일 없이-당시 나는 그렇게 생각했다-하루 몇 시간씩 걷는 건 정말 곤욕이었다. 출장비가 없는 것도 아니고 택시 좀 타고 다니면 안 되나? 볼멘소리가 목구멍까지 차올랐지만, 꾹꾹 삼켰다.

하루는 두세 시간의 비포장도로를 걸어 이동해야 했다. 오늘은 교통수단으로 이동할 수 있겠지 하는 생각에 지글지글 끓어오르는 불만을 억지로 숨기고 사수에게 은근슬쩍 운을 뗐다.

"길이 험해서 걷기에 별로일 거 같아요?"
"걷기에 좋지 않은 길은 없지!"

사수는 툭 던지듯 말하고는 신발 끈을 질끈 매고는 먼저 길을 나섰다. 별수 없이 그날도 걸어서 이동했다. 이동 중, 사수는 걷기의 미학에 관해 이야기했지만 무슨 말을 했는지 하나도 기억이 나지 않는다. '걷는 것만으로도 좋다'는 매우 상투적인 말이었을 것임을 짐작할 뿐이다.

출장 중, 생각지 않게 사수가 개인 사정으로 먼저 귀국하고 혼자 남아 필드 조사를 진행해야 했다. 걷기 전도사인 사수가 없으니 드디어 내 마음껏 택시나 버스를 타고 이곳저곳을 다닐 수 있게 됐다. 아, 그런데 이게 웬걸! 습관이 무섭다고 걸어서 조사지로 이동하고 있는 나를 발견했다. 이 사실을 자각한 순간, 당혹스러움과 불쾌감이 감돌았다. 그렇게 걷기를 싫어하던 내가 아닌가! 황급히 택시라도 잡아볼 양으로 사방을 둘러봤다. 좁은 골목길이라 택시가 잡힐 리 만무했다. 별수 없이 두 발을 앞으로 옮길 수밖에. 뚜벅뚜벅 두 발로 온종일 걸어 다녔다. 눈앞에 펼쳐진 지방색이 물씬 묻어나는 시장, 간란식干欄式 다층 집*과 이국적인 풍경, 현지인들(따이족傣族*)이 왁자지껄 떠드는 소리, 향신료 특유의 냄새 등에 그만 매료되어 마냥 걷고 또 걸었다. 구름이 바람의 유혹을 못 이기고 세상을 떠돌 듯, 나도 걷기의 미학에 흠뻑 빠져 조사지를 거닐었다.

필드 조사를 마치고 보고서를 작성하면서 두 발로 걸어 다녔던 시간 그 자체가 의미 있는 일이었음을 비로소 깨달았다. 아마도 사수가 말한 걷기의 미학은 이 쓰임을 두고 말한 게 아닌가 싶다.

　생각해보면 걷기는 내게 육체적 건강뿐만 아니라, 삶의 지경을 넓히는 데 큰 도움이 된다. 게다가 나를 돌아볼 수 있는 여유를 허락한다. 산책로를 거닐며 만나는 풀과 꽃, 별과 달, 사람과 사람에 조응하며 나는 내 삶을 곱씹고 복기한다. 이럴 때면 나도 시인이 되고 철학자가 된다. 걷기를 통해 나는 간혹 행복이라는 뜻밖의 선물을 받는다. 다비드 르 브르통은 《걷기 예찬》에서 "걷는 것은 자신을 세계로 열어놓는 것이다. 발로, 다리로, 몸으로 걸으면서 인간은 자신의 실존에 대한 행복한 감정을 되찾는다."라고 말한다. 걷기와 함께 수반되는 고독과 고통은 아이러니하게도 행복과 가슴 벅참을 선사한다. 비록 속도의 노예로 살아갈 수밖에 없는 시대에 살고 있지만 나는 걷기에서 존재 이유를, 살아 있음을, 행복을 느낀다.

　맑은 날, 맑다가 흐린 날, 흐린 날, 구름이 많은 날, 더운 날, 시원한 날, 바람 부는 날, 샛바람 부는 날, 비 오는 날, 소낙비 오는 날, 비 오다 갠 날, 눈 오는 날, 찌물쿤 날, 맵찬 날, 다사한 날, 궂은날, 훗훗한 날, 상크름한 날. 시시각각 마주하는 산책로의 느낌이 다르다. 그 어느 순간도 마뜩하지 않은 적이 없다.

걷는다는 건, 아마도 설렘과 기대감을 만나는 것일 터. 걷다 보면 어제보다 조금 더 큰 나를 만난다. 걸으며 배우는 것이 많다. 걷기는 설렘이면서 그리움이다. 이 그리움이 너무 커지기 전에 다시 길을 나설 수 있으면 좋겠다. 일부러 찾아가는 수고를 아끼지 않는 나를 기대하며……

* 간란식干欄式 다층 집: 따이족의 전통적인 주택. 대나무와 목재를 재료로 만듦. 벽은 대나무를 쪼개어 엮고 지붕은 짚을 얹는다. 위층에는 사람이 살고 아래층에는 가축을 기르거나 물건을 둔다. 아열대 기후에 매우 적합한 건축 양식이다.

* 따이족傣族: 중국 내 55개 소수민족 가운데 하나로 대부분 윈난성云南省에 거주한다.

256 가닥의 착한 추억

- 짜장면、 음식 이상의 그 무엇

적막한 사무실에 울려 퍼지는 직장동료의 약간 들뜬 목소리,

"오늘 점심, 뭐 먹을까?"

벌써 점심시간이다. 월급날 다음으로 기다려지는 시간. 구내식당 메뉴를 빠르게 스캔했다. 별로다. 직장인에게 유일한 낙인 점심시간, 맛있는 음식과 함께 폭풍 수다는 필수다. 게다가 가성비까지 챙길 수 있다면 금상첨화다.

"수타 짜장면 어때?"

최근 타 부서 동료에게 맛집 추천을 받아놓은 터였다. 동료들도 흔쾌히 오케이 한다. 메뉴가 결정되자 5명이 일사불란하게 차 한 대에 올라타 중식당으로 향했다. 1시간밖에 안 되는 점심시간인지라 주문을 미리 넣는 것도 잊지 않았다.

"짜장면 3, 짬뽕 2에 탕수육 대자 하나요."

중국집으로 향하는 차 안에서 각자 맛봤던 수타면에 대한 예찬이 이어졌다. 기계면은 따라올 수 없는 쫄깃쫄깃한 면발, 짜장면에 깃든 손맛, 맛과 건강을

한 번에 다 잡을 수 있다 등등……

내 어린 시절, 짜장면은 지금처럼 쉽고 간편하게 한 끼 때울 양으로 선택할 수 있는 대중적인 음식이 아니었다. 특별한 날에나 먹을 수 있었던 귀한 음식이었다. 내가 학교에서 상을 타 온 날, 비 오는 날 할아버지가 나를 마중 오셨던 날에나 그 귀한 형상을 영접할 수 있었다.

그렇다고 지금처럼 온 가족이 다 외식을 하는 게 아니었다. 상을 타 온 날이면 할아버지가 동생들 몰래 나만 살짝 불러내셨다. 그러면 나는 도둑고양이처럼 조심조심 할아버지를 따라나섰다. 그래도 비 오는 날 할아버지가 마중 오셨을 때는 상황이 조금 달랐다. 하굣길에 할아버지와 단둘이 개선장군처럼 어깨를 펴고 중국집에 입성했다.

집 주변에 중국집이 두 곳이 있었지만, 집에서 조금 거리가 있는 한 중국집을 단골로 갔다. 혹시 모를 동생들에게 들키지 않기 위한 안전거리 확보가 이유였다. 나중에 안 사실이지만 그 집 사장님과 할아버지가 친분이 있으셨다. 그 친분을 밑천 삼아 때때로 돈이 없을 때는 외상도 더러 하셨던 거 같다.

주렴珠簾을 들추고 들어서면 짜장 볶는 냄새가 진하게 우리를 반겼다. 천상의 달짝지근한 냄새에 취해 들어서자마자 군침이 사르르 돌았다. 할아버지는 주인아저씨가 물어오지도 않은 방문 이유를 늘어놓으며 거들먹거리면서 짜장면 한 그릇을 주문하셨다.

"우리 장손이 이번에 또 상을 탔지 뭐야. 내 어디 가만히 있을 수 있나? 짜장면이라도 한 그릇 사 먹여야지. 허허허!"

"어이구, 그래요! 그럼, 오늘 군만두는 서비스!"

넉살스러운 주인장의 맞장구에 할아버지는 어깨에 힘이 더 들어가는 거 같았다.

주문과 동시에 주방장이 팔을 걷어 올리고 밀가루 반죽 양 끝을 잡고 길게 늘여 널찍한 목판에 내리친다. 내리쳤던 반죽을 길게 늘이고 다시 목판에 내리치기를 수십 차례. 밀가루 반죽을 목판에 탕탕 내리치고 늘리면 면발이 길게 쭉쭉 늘어났다. 접고, 늘이기를 또 몇 차례. 한 가닥이던 면발이 순식간에 수십 가닥으로 늘어나는 게 꽤 장관이었다.

눈앞에서 펼쳐지는 진기한 마술쇼에 나도 모르게 허기가 차올랐다. 엽차 한 모금과 단무지 한 조각을 춘장에 찍어 우물우물 씹으며 허기를 애써 달랬다. 애타게 기다리고 기다리던 짜장면이 상에 오르기가 무섭게 나는 "할아버지, 빨리빨리!"를 외쳤다. 젓가락으로 이리저리 비벼질 때마다 달콤하고 짭짤한 짜장 내음이 김과 함께 모락모락 피어올랐다.

짜장에서 느껴지는 강한 불 맛, 수타면의 쫄깃쫄깃함, 고명으로 올린 채 썬 오이, 삶은 달걀 반쪽과 완두콩 몇 알. 소박했지만 얼마나 맛있었던지. 나는 짜장면 한 그릇을 아귀아귀 먹어치웠다. 그런 나를 할아버지는 그저 흐뭇하게 바라보셨다.

찧고 까불던 어린 시절, 짜장면 한 그릇은 성장의 보상이었고 할아버지와의 달콤한 추억이다. 상을 탔다는 우쭐거림과 빗줄기의 시원함, 포만감이 한데 어우러져 세상을 다 가진듯했다. 입안 가득 살캉거리던 부드러우면서도 차진 식감과 살가운 풍경. 짜장면은 내게 그런 기억이고 추억이다.

이야기꽃을 피우다 보니 어느새 중국집이다. 미리 주문한 덕에 바로 한 상 차려졌다. 얼마 만에 맛보는 수타 짜장면인가? 까다로운 힘 조절이 들어간 탓에 면은 가늘고 곱다. 주방장의 대단한 공력이 엿보인다. 부드러우면서도 차진 식감이 무뎌진 미각을 자극한다. 한입에 모아 단숨에 후루룩후루룩 짜장면 한 그릇을 비워냈다. 비워지는 그릇에 반비례하게 허기진 마음이 채워진다. 유년 시절의 추억이 방울방울 떠올라 입안에서 명주실을 뽑아내듯 수다를 떨었다. 짜장면 한 그릇에 어느새 화기애애하다. 짜장면은 음식

이상의 그 무엇이다.

　얼마 전, 경북 청송 시골 마을에서 수타 짜장면 집을 운영하는 노부부의 영상을 만났다. 노포老鋪에 테이블은 대여섯 개 정도였다. 허름한 가게와 늙수그레한 노부부의 모습에서 세월을 느낄 수 있었다. 주문과 동시에 수타로 면을 뽑는다. 어릴 적 할아버지와 함께했던 그 모습이 재현됐다. 밀가루 반죽을 목판에 탕탕 내리치고 늘리기를 반복하니 256가닥이다. 가늘고 고운 면의 자태에 감탄이 절로 나온다.

　감탄과 함께 입안 가득 추억이 고인다. 짜장면값 17원 하던 시절부터 45년간 만들어 오셨다고 하니 그 맛이야 두말할 필요가 있을까? 조만간 휘뚜루마뚜루 만나러 가야겠다. 착한 짜장면을 만나러. 할아버지와의 추억을 곱씹으러.

가을이 보내온 보랏빛 편지

촉촉한 가을비에 문득 잠이 깼다. 사방이 어슬핏하다. 거실에서 옅은 빛이 새어 들어오고 있다. 뭐지? 간밤에 불을 안 껐던가? 눈을 비비며 불을 끄러 거실로 나왔다. 스탠드 아래, 책상에 엎드려 잠이 든 아내가 보였다. 밤새 강의자료 만들다 깜빡 잠이 들었나 보다. 불편하게 잠든 아내를 깨울 양으로 어깨에 살짝 손을 얹었다. 순간 책상 위에 놓인 노트가 얼핏 눈에 띈다. 무언가 긁적여있다.

열여덟의 순간, 가장 빛나는 그 순간에 진짜 감정을 드러내는 것이 두려웠다. 그런데 딱 한 번 쌓였던 분노가 터졌을 때가 있었다. 그 당시 학교 교련 선생님의 오해로 교무실에 불려 간 일이 있었다. 선생님은 확인도 안 하시고 다짜고짜 부모님을 언급하며 거친 말을 쏟아내셨다.

"아빠가 그렇게 가르치셨니? 아니, 아빠 없다고 했지, 그럼 엄마 모셔와!"

무슨 용기였는지 책상을 밀치며 선생님에게 심하게 대들었다. 억울했고 그렇게 말하는 선생님이 너무 밉고 화가 치밀어 올랐다.

그때의 나는 상처를 받은 게 분명했다. 지금도 그 선생님을 용서하지 못했으니 말이다. 더 깊이 내 마음을 들여다보면 '화'라는 감정 뒤에 엄마가 속상해하실까 봐 걱정되고 두려웠던 마음이 선생님을 향한 분노로 나타났던 거 같다.

　열여덟의 나는 어른스러워야 했다. 그래야 외롭지 않다고 버림받지 않는다고 생각했다. 드라마 《열여덟의 순간》 속 열여덟의 준우의 모습을 보며 열여덟의 내가 생각나서 괜히 눈물이 맺혔다. 엄마를 이해하고 힘든 상황을 인내하면서 애써 슬픔을 감추려고 하는 준우가, 내 어린 시절과 맞닿아서 가슴 시리게 아파왔기 때문이었을까?
　다시 그 나이로 돌아 간데도 나는 비슷한 선택을 할 거다. 하지만 이 한마디는 꼭 전하고 싶다. 애써 감정을 숨기며 어른인 척할 필요는 없다고……

- 옆지기의 노트에서

　가을비는 장인의 나룻 밑에서도 긋는다고 했던가. 소리 없이 왔다 간 열여덟의 아내로 인해 새벽꿈이 그리 후드득후드득했나 보다. 아내의 숨결을 따라 가을비 내리는 소리가 내 가슴에 내린다. 그 고운 꿈결을 따라 고단했을 열여덟의 아내를 만난다.

창밖, 가을비는 하얗게 글썽글썽 내리고 아내는 뽀송뽀송 잘도 잔다.

결국、 나 자신의 자리다

'둔둔둔 굿모닝
둔둔둔 빠빠빠 빠빠 빠빠빠빠 굿모닝~
빠빠빠 빠빠 빠빠빠빠 굿모닝
빠빠빠 빠빠 빠빠빠빠 뷰리플데이
빠빠빠빠 잇츠 뷰리플데이 둔둔둔'

   토요일 아침. 지줄 대는 알람 소리에 단잠에서 깼
다. 시간을 보니 7시 30분이다. 평상시 같으면 10시
가 훌쩍 지나도 잠자리에서 뭉개고 있을 나였다. 하
지만 오늘은 글쓰기 모임 문우들과 함께 입산入山하기
로 약속한 날이라 단박에 잠이 깼다.
  간단히 세면을 하고 집을 나섰다. 1차 모임 장소인
책방에는 문우들이 이미 다 와있었다. 차 한 대에 옮
겨 타 불암산 부근의 해장국집을 먼저 들렀다. 입산
에 앞서 허기진 배를 채우고 가기로 했다. 선지해장
국 한 그릇에 커피 한잔을 더했다. 배가 든든하니 그
만 꾀가 생겨 집에 돌아가고 싶은 마음이 하늘하늘
피어올랐다.

   길이 험하다는 문우의 말에 등산화 끈과 마음을 단
단히 메고 돌계단을 오르기 시작했다. 걸음은 이제
막 시작일 뿐인데 거친 숨을 몰아쉬는 나를 마주했
다. 지난 한 달 동안 기초체력을 다진 것을 비웃는듯
하여 오기가 발동했다. 그 오기도 잠시, 초반부터 거

칠게 몰아붙이는 길. 온몸의 신경이 바짝 긴장했다.

불암산은 자신의 참모습을 거저 내어주기 싫은 양 초입부터 날카로운 이빨을 드러내기 시작했다. 골이 깊어질수록 크고 작은 돌들이 들쭉날쭉 쌓여 계단이 되었다. 웅장한 기암괴석과 창울한 숲 앞에 무슨 말이 더 필요할까. 멋들어지고 어마어마한 만큼 오르기 힘들다는 엄연한 사실에 저절로 고개가 숙어졌다.

휘적휘적 산모롱이를 돌아서자 중간중간 사람들 발길을 제한한다는 표지가 눈에 띄었다. 사람이 좀 물러나서 자연을 배려해야 하는 공간과 시간이 필요하다는 이야기일 터. 사람과 자연 사이 아름다운 거리를 둘 때, 비로소 불암산도 본연의 모습을 선물해주겠지. 사람과 자연의 거리 두기도 이럴진대 하물며 사람과 사람의 거리는 오죽할까?

불암산은 이제 여름 초입에 접어들었다. 봄을 지나 여름이 반드시 찾아오듯 우리네 삶도 그러하겠지. 누구에게나, 언제나 위로가 되는 그 계절을 기다리며 나는 부지런히 걸음을 옮겼다. 오르면 오를수록 길은 더 사납게 으르렁거리며 가파르게 일어섰다. 여기저기 칼날처럼 날이 선 바윗길 위에 거친 숨을 몰아쉬었다. 턱밑까지 숨이 차올라 마냥 그 자리에 퍼더버리고 앉아 있고 싶은 마음이 수차례. 애면글면 능선

위에 올라섰다.

열심히 올라왔나 싶었는데 길은 다시 곤두박질친다. 바닥까지 치닫더니 솟구쳐 오른다. 그만 중간에 포기하고 싶은 마음에 두릿두릿 주위를 살펴봐도 빠져나올 곳이 없다. 나아가거나 아니면 되돌아 내려오는 것밖에 없었다. 아무리 힘들어도 앞으로 나아가는 거 말고는 달리 방법이 없었다. 앞으로 나아가는 거 말고는 할 수 있는 게 없는 우리네 인생과 맞닿아있었다. 다시 허위허위 숨을 몰아쉬며 한 걸음 한 걸음 올라섰다. 끝까지 멈추지 않겠다는 나 자신과 다짐을 되새기며……

험준한 바위를 지나야 마주할 수 있는 정상. 하늘과 땅 사이에 그려놓은 풍광명미風光明媚가 지친 걸음에 힘을 북돋웠다. 허위단심 정상에 오르니 성취감은 그 어디 비길 데가 없었다. 경이로울 만큼 아름다운 세상이 바로 눈앞에 펼쳐졌다. 극도의 고통도 견디며 걷는 건 아마도 산 아래 펼쳐진 너른 풍경을 담을 수 있다는 이 희열 때문일지도 모르겠다. 막힌 데가 없이 활짝 트이어 마음이 후련하니 홀연 신선이 된듯했다.

호연지기의 끝, 무언가에 쫓겨 앞을 내다보지 못하고 그저 살아내고만 말았던 시간을 마주한다. 나이를 먹으면 별 고민 없이 살 줄 알았는데 매번 산을 넘는 기분이다. 이 긴 산행의 목적지는 결국 나 자신의 자리다.

불암산은 푸릇푸릇하고 햇살은 도탑고 길다.

계획된 우연

책상에 앉아 하루를 복기復棋한다. 여느 때처럼 평범한 하루를 기대하며 아침을 시작했다. 하지만 오늘도 그 기대는 거절당했다. 직장인이라는 이유로. '등' 한 글자 때문에 공들여 작성한 기획안이 되돌아왔고 외부에서 걸려온 전화 한 통으로 인해 친한 동료와 논쟁으로 설전을 벌였다. 저녁 약속이 있었는데 오늘도 야근이란다.

오늘도 내 앞엔 생각지 못한, 생각과는 다른 일들이 펼쳐졌다. 늘 그랬던 것처럼. 늘 그러하니 이젠 일상이 되었다. 일상이 되니 생각과 다를지라도, 예상치 못한 일이 일어나더라도 놀랍지 않다. 심지어 언제부

턴가 그 안에서 나름대로 열심이다. 그게 어떤 것이
되었든 간에.

　돌아보면, 내 삶의 8할 이상은 내가 계획하지 않았
다. 우연히 접한 것들에 반응했을 뿐이었다. 인생의
전환점마다 난 합리적으로, 객관적으로 의사결정을
하려고 노력했다. 하지만 나의 그러한 노력과는 달리
내 삶과 의사결정은 매우 즉흥적이었고 주관적이었
다. 결혼, 대학원 진학, 첫 직장, 이직, 사표 제출, 극
단 활동, 시집 출간 등등…… 크고 작은 변곡점에 늘
우연이 자리했다.

　우연이 말을 걸어올 때면 난 그 우연이 궁금하다.
그래서 그 우연을 내 삶에 편입시키곤 한다. 그 순간,
하나도 상관이 없던 것들이 이내 의미 있는 일이 된
다. 의미 있는 일이 되니 열심을 내게 된다. 그리고
예기치 못한 결과를 만난다. 물론 그 결과가 늘 긍정
적이지는 않다. 하지만 그 과정과 결과는 나를 이전
의 나와 다른 사람으로 가꿔주었다. 우연은 내게 기
회가 되고 계획이 되었다. 아마 내일도 내게 찾아올
거다. 그리고 늘 그랬듯이 그 우연에 민감하게 반응
하려 한다. 일정 시간이 지나 다시 만나게 될 또 다
른 내가 궁금하다.

안녕, 일상의 중력

"왜?"

　아들내미가 초등학교 시절 자주 쓰던 말이다. 요즘은 글을 쓰면서 일상에서 마주하는 것들에 내가 자주 던지는 말이다. '왜'라는 단어는 사실 일상에서 자주 듣고 자주 쓰는 말이다. 하지만 자주라는 말이 무색할 정도로 난 이 말의 정확한 뜻을 모른다. 정확한 뜻을 찾아본 적도 없다. 굳이 찾아볼 필요가 없었다. 이 단어의 쓰임에 대해 일상생활 중에 너무나 자주 마주했던 경험들이 있으니. 유년 시절, "왜?"라는 질문에 아버지는 구박하셨다. 어른에게 말대꾸한다는 이유로. 학창시절엔 "왜?"라는 질문보다 깜지를 채우며 영어 단어를 하나라도 더 외우라는 선생님의 조언이 늘 우선이었다. 군 복무 때는 상명하복만이 허용되었다. 생각해보면 "왜?"라는 말은 금지어의 다름 아니었다.

정확한 뜻이 궁금해 국어사전에서 그 뜻을 찾아보니 '무슨 까닭으로', '어째서', '어떤 사실에 관하여 확인을 요구할 때 쓰는 말'이란다. 숱한 경험을 통해 어림짐작하여 사용했던 단어의 뜻이 내가 생각했던 그 이상도 그 이하도 아니다. 딱 고만큼이다. 사전적 정의와 실제 생활에서, 대화 장면에서 사용했던 용도의 차이도 거의 없다.

"왜?"라는 질문이 필요 없는 일상의 연속이다. 일상의 삶 가운데 '왜'라는 단어는 딱히 필요 없다. '왜'보다는 '네'라는 대답이 더 선호된다. 우연한 계기로 시집 2권을 출간하고 나서부터 '왜'라는 단어는 이전과 달리 내 일상의 많은 부분을 차지하기 시작했다. 은유 작가가 《글쓰기의 최전선》에서 언급했던 '왜'라고 묻고 '느낌'이 쓰게 하라고 했던 것처럼 '왜'라고 묻는다. 늘 마주하는 일상에. 한 걸음 물러나 왜, 여기, 지금을 묻고 또 묻는다.

요즘 한껏 예민해진 시선으로 사물을, 세상을 마주

한다. 생각과 감정이, 사고의 전환이 순서 없이 오고 가고 간간이 침묵도 흐른다. 시시때때로 사물이, 세상이 오롯이 내게 감겨온다. 쓸모없을 거 같은 질문에 일상이, 삶이, 삶의 태도가 조금씩 달라진다. 시시했던 삶이 의미 있는 삶으로 다가온다. 이 쓸모없는 질문에 삶이 쓸모 있게 되는 아이러니를 경험하고 있다.

안녕, 일상의 중력 / 한봄일춘

사는 이유가 별거 없듯
대수롭지 않은 일상의 반복

문득
"왜"라고 질문하니,

당연한 일상에
하나, 둘
차이가 채워진다

이 쓸모없는 질문에
삶이
쓸모 있게 되는 아이러니

단짠단짠의 치명적인 그리움

토요일 아침, 부스럭 소리에 얼핏 잠에서 깼다. 쉽게 떠지지 않는 눈을 비비며 겨우 정신을 차리고 휴대전화를 찾았다. 몇 시쯤 됐나 보니 여섯 시도 채 안 됐다. 몸도 영 찌뿌둥한 것이 오전 늦게까지 이불속에서 뭉개고 있으려고 했는데. 살짝 억울하다는 생각에 귀를 쫑긋 세우고 소리의 출처를 찾기 시작했다. 부엌이다. '이 꼭두새벽부터 누가 이렇게 시끄럽게 할까?'라는 생각이 드는 찰나 방문 틈 사이를 넘어 달려드는 치명적인 냄새에 반사적으로 일어나 앉았다.

감자 삶는 냄새다. 어제저녁 장모님이 "햇감자가 싸길래 좀 사 왔네!" 하며 감자 한 상자를 사 오셨는데 그걸 삶는 모양이다. 아파트 단지 앞에서 한 상자에 만원도 채 안 되는 가격에 팔더란다. 햇감자에 가격도 싸니 평상시 손이 크신 장모님이 어찌 그냥 지나치셨을까 싶다. 가족을 풍족하게 먹이겠다는 생각도 한몫했으리라.

무더운 날씨에 늙수그레한 장모님이 감자 한 상자를 들고 오시느라 옷이 땀으로 범벅이다. 장모님의 수고로움에 대한 감사와 함께 '저걸 누가 다 먹는다고 힘들게 사 오셨을까?' 하는 속마음을 숨기며 냉큼 수건을 건넸다. 장모님의 넉넉한 마음에 대한 감사보다 음식물 쓰레기로 버려질 확률이 농후한 감자를 걱정하며 어제 잠자리에 들었던 참이다.

감자 삶는 냄새에 이끌려 어느새 가스레인지 앞이
다. 냄비에는 포슬포슬 분이 뽀얗게 핀 먹음직스러운
삶은 감자가 한가득이다. 조금 전까지만 해도 눈곱만
치도 없던 허기짐에 이끌려 냄비 뚜껑을 열어 실팍한
감자 한 알을 집어 들었다. 호호 불며 조심스럽게 한
입 베어 무니 소금기 머금은 감자가 짭조름하다.
아, 설탕! 설탕에 찍어 먹으면 제격이겠다는 생각에
부엌을 뒤졌다. 5분여간의 혈투 끝에 설탕 발견! "앗
싸!" 설탕을 찍어 감자를 한입 먹으니 달달하고 짭조
름한 게 바로 이 맛이다. '단짠단짠'한 맛에 이끌려
감자 한 알을 게 눈 감추듯 해치웠다. 사라진 감자
한 알 뒤로 치명적인 그리움이 목구멍을 타고 올라왔
다.

이맘때가 여름 감자 수확 철이다. 여름 감자는 1년
중 해가 가장 길다는 하지 무렵에 캔다고 하여 하지
감자라고도 불린다. 어린 시절 감자 수확 철에는 일
주일에 두세 번, 많을 때는 다섯 번을 감자봉생이(감
자범벅)*로 끼니를 때웠다. 여섯 식구 땟거리를 해결
하기 위함과 싼값에 엄마는 저녁상에 감자봉생이를
주야장천 올렸다. 끼니를 잇지 못할 정도로 생활이
궁핍하지는 않았지만 왕성한 식욕을 자랑하던 우리 3
남매와 할아버지를 부양하기에 부모님의 수입은 늘

빠듯했던 거 같다. 엄마는 온종일 그 입치다꺼리하기에도 눈코 뜰 새가 없었다.

동무들과 온종일 뛰어놀다 허기진 배를 움켜쥐고 집에 돌아오면 풍로에서 달달한 감자 삶는 냄새가 났다. 그날 저녁은 십중팔구 감자붕생이다. 감자붕생이는 엄마가 가장 잘하는 음식 중 하나다. 그도 그럴 것이 엄마가 어렸을 때, 외할머니가 줄곧 해주셨던 음식이었단다.

감자붕생이 만드는 방법은 간단하다. 먼저 감자는 껍질을 벗기고 삶는다. 이때 굵은 소금을 흩뿌려주는데, 감자 고유의 풍미를 높이기 위해서다. 감자가 다 익었는지 간별 하는 방법도 단순하다. 젓가락으로 감자 한두 알정도 찔러보면 된다. 감자가 어느 정도 익으면 물을 따라 내고 뜸을 들이면 된다.

뜸을 들이는 동안 감자를 삶고 따라두었던 끓는 물과 뉴슈가를 밀가루에 붓고 반죽을 한다. 밀가루 익반죽은 내 몫이었다. 특별한 기술 없이 말랑말랑하게 뭉쳐주면 되었는데 그게 은근히 재미있었다. 반죽은 뜸 들이는 감자 위에 뜯어서 얹어 준 다음 뚜껑을 덮어 익혀주면 끝이다.

짭조름한 감자를 한 입 먹고 뉴슈가로 단련된 달짝지근한 밀가루 떡(수제비)을 한 입 먹으면 산해진미가 부럽지 않았다. 하지만 이 맛난 감자붕생이도 하나 아쉬운 점이 있었다. 목이 쉽게 막힌다는 거였다. 감자 한 입, 밀가루 수제비 한 입, 물 한 모금이 필수였다.

그래서였을까? 감자붕생이를 먹은 날은 금세 포만감이 들었다. 많이 먹어서 배가 부른 건지 물을 계속 마셔서 배가 부른 건지 이유는 모르겠지만 금세 배가 불렀다. 그리고 이 포만감은 오래가지 않았다. 키가 크느라 먹성이 왕성했던 나이기도 했고 그 '단짠단짠'의 황홀한 조합에서 쉽게 빠져나올 수 없어 저녁 내내 부엌을 들락날락했다. 거의 매일 먹으니 지겨울 법도 한데 뭐가 그렇게 맛있었는지. 내 손으로 직접 오밀조밀 뽐낸 솜씨를 맛보는 재미와 가족들과 이런저런 밀린 이야기를 두런두런하는 재미가 더해져 그러했으리.

그 어느 때보다 풍족한 시대를 살아가고 있다. 하지만 어린 시절, 온 가족이 옹기종기 모여 옥시글옥시글 저녁을 먹던 그 시절보다 풍요로운 삶이라고 할 수 있을까? 이맘때 엄마가 해주셨던 '단짠단짠'의 감자붕생이, 그 치명적인 맛이 문득 그립다.

*감자붕생이: 감자의 반을 갈아 거른 건더기와 가라앉은 앙금, 감자 전분, 소금을 섞고 치대어 반죽하여 소금 간한 풋강낭콩과 섞은 다음, 솥에 나머지 감자를 껍질 벗겨 깔고 적당한 크기로 떼어 낸 반죽을 감자 위에 얹어 푹 쪄서 감자가 익으면 주걱으로 잘 섞은 것이다. 강원도 영월 지방에서는 찐 감자를 밀가루와 섞어 반죽하여 들기름, 소금, 설탕 등을 넣어 찐 뒤 호박잎에 싸서 고추장에 찍어 먹으며 감자범벅이라고도 한다. [네이버 지식백과]

실패는 자연스럽고 섹시하다

찌뿌드드한 겨울의 어느 오후. 숯가마 찜질방을 찾았다. 뜨끈하게 지질 생각에 몸은 벌써 숯가마 안이다. 내 간절한 생각에 질투라도 하려는 듯 주차장은 이미 만원이다. 이런! 피로 좀 풀려고 왔는데 오히려 스트레스가 쌓인다. 쓰거운 마음으로 한참을 돌다가, 땔감 쌓아놓은 공간 옆에 차 한 대 겨우 주차할만한 공간을 찾았다.

주차하고 차 문을 여는데 수북이 쌓인 땔감 사이로 푸릇푸릇한 것이 눈에 들어온다. 뭐지? 궁금한 마음에 다가가 들여다봤다. 땔감 잡목에 싹이 하나 빼꼼 얼굴을 내밀고 있었다. 그 잡목은 새 생명이 뿌리내리기엔 뭔가 감때사나워 보였다. 생을 다한 잡목에 새 생명이라니! 가엾는 생명의 위대함 앞에 찜질방에 온 이유도 잊은 채 한참을 들여다봤다.

찜질방을 다녀오고 나서도 그 조우를 곱씹고 곱씹었다. 그 무렵 즈음,「책방열음」대표가 원고 청탁을 해왔다.

"작가님, 책방에서 《실패월간》이라는 간행물을 만들어보려고 하는데, 글 좀 써주세요."
"제가 그럴만한 깜냥이 될까요?"
"그럼요, 이미 충분하신걸요!"

"그렇게 말씀해주시니 감사하네요. 그런데, 월간지 이름이 실패네요. 주제도 실패와 관련된 내용인가요?"

 "네. 실패보다 더 자연스럽고 섹시한 주제는 없으니까요."

 실패월간 취지 등에 대한 책방 대표의 부연 설명이 한동안 이어졌다. 취지가 마음에 들었다. 나를 작가로 불러준 것도 마음에 들었다. 책을 몇 권 출간했지만, 작가라는 호칭은 마치 남의 옷을 걸치고 있는 것처럼 여전히 조심스럽고 어색했다. 게다가 나는 여느 작가들처럼 글쓰기에 대한 남다른 사명감도 가지고 있지 않다. 그런데도 작가라는 호칭에 마음이 들뜬다. 설렌다. 아마도 호칭이 의미하는 바와 내가 오랫동안 그 호칭을 짝사랑해온 연유 일터. 작가라고 불러준 대표의 갸륵한 마음과 찜질방에서 움트기 시작한 그 무언가에 힘입어 주제넘게 《실패월간》에 글을 쓰기 시작했다.

 실패. 이 단어는 구석지고 어두운 곳에서 나의 경험치에 들러붙어 수시로 마음을 뒤흔든다. 그 작은 요동에 앞이 캄캄하고 불안하다. 속상하다. 그것을 감당해야 할 시간을 견딜 수 있을까 걱정스럽다. 힘들다. 마음이 자꾸 벅차올라 눈물이 날 것 같다. 이 버거운 시간이 어서 빨리 지나갔으면 좋겠는데 그러지 않아 화가 난다. 끝날 거 같지 않은 이 상황에 지친다. 무기력하다. 비난과 자책이 담긴 날카로운 시선의 가시권에서 헤어 나오지 못하니 퍽 고통스럽다. 녀석은 멀끔한 눈으로 나를 수시로 쳐다본다. 문득문득 내 신경을 갉죽거린다.

왜일까? 왜 나는 실패라는 단어에 이토록 신경질적일까? '실패는 성공의 어머니'라는 명언에 고개를 끄덕이면서도, 돌아서서는 성공에 매달린다. 실패에 가없이 엄격하고 성공에 가없이 집착한다. 부정적인 인식과 평가 때문에 나는 실패를 구석지고 어스레한 곳에 처박아두었다. 끄집어내기가 두렵다. 무섭다. 그래서일까? 실패는 점점 음성화되어 가고 나는 실패를 주저한다.

《실패월간》 간행을 위해 매달 한편씩 실패와 관련된 글을 써냈다. 계획 실패, 대학 실패, 효도 실패, 환경 실패 등등. 주제가 제시될 때마다 처박아두었던 흑역사를 끄집어내야 했다. 글을 쓰는 시간보다 내 과거를 마주하는 시간이 더 길고 괴로웠다. 마주하는 것에 어느 정도 단단해지면, 그다음은 공개적인 글쓰기에 대한 불편함이 밀려왔다. 성공담도 아닌 실패담을 공개적으로 쓴다는 것이 여간 마뜩하지 않았다. 시뜻한 마음을 억누르며 한편씩 꾸역꾸역 써냈다.

"나도 좋은 아빠를 꿈꿨다. 그냥 아빠가 아닌 좋은 아빠를. 세상사가 그렇듯 꿈이 꼭 현실이 되지는 않는 거 같다. 아무리 꿈을 꿔도, 아무리 애를 써도 현실은 늘 불만족스럽다."

"오랜 세월 그 한자리를 묵묵히 지켜내셨다는 존경과 함께 고단했을 엄마의 생生을 생각하면 마음이 무겁다. (중략) 내 시계는 늘 바쁘고 엄마 시계는 늘 빠르다."

《실패월간》의 지문을 빌려 글을 쓰며 실패는 지극히 사소하고 익숙한 일임을 새삼 깨달았다. 같은 주제의 다른 작가들의 글을 읽으며 공감과 위안도 받았다. 내 실패를 객관적으로 들여다볼 힘도 생겼다. 실패 또는 성공으로 기록하고 평가하는 것은 더는 중요하지 않다. 실패는 음지에서 양지로 이사를 왔고 이웃사촌이 됐다. 하여, 실패 경험의 공유를 넘어 실패라는 개념의 파기도 감히 꿈꿔본다.

막상 이 나이가 되어보니 세상사 성공보다 실패가 많다는 사실을 알게 됐다. 결국, 실패가 많은 인생 실패에 익숙해지기로 했다. 실패에 익숙해지려니 시작에 익숙해져야 했다.

나는 오늘도 시작한다.

뜨겁지만 차가운
분주하지만 한산한
익숙하지만 낯선

너무나 짧고 아름다웠던
모든 게 두려웠던
그렇게도 많은 눈물 흘렸던

계절이 여물어 간다

스스로에게 던진 질문들에 그럴싸한 답은 여전히
찾지 못했다. 다만 내 인생을 조금 더 들여다볼 수

있는 인내심과 애정이 부산물로 주어졌다. 내가 누군
지 결정할 용기도 조금 더 생겼다.